改訂版

すいどうの楽学（らくがく）

初級編

熊谷 和哉

日本水道新聞社

改訂版　すいどうの楽学　初級編　目次

水道を見てみよう

この本を手にされた皆さん、どういう経緯でこの本を読まれているでしょう。職業として水道に携わることになったものの、水道自体についてはほぼ素人、初心者。そんな方に一から水道を無理なく、楽しく知ってもらおうと意図した本です。成功しているかどうかは、読者が決めることですが、ありそうでなかった本ではないかと思います。この程度の薄い本です。最後までお付き合いいただければと思います。

「水道」と聞いて何を思い浮かべるでしょう？「水道を見てみよう」と言われて何を想像されたでしょう？

「浄水場？遠いしそんな簡単に見てみようと言われても……」

「水道？水道管なんて埋まっていて見ようたって見られないし……」

こんなところでしょうか？皆さんの感想を私が想像してみてもこのぐらいしか思い浮かびません。

今、皆さんが自宅にいると勝手にさせていただきます。お家(うち)の中には蛇口（給水栓）があります。水道の一部……その末端がそこかしこにあります。キッチン、バス、トイレ……水が出るところすべて〝水道〟の一部です。これぐらいは「水道」と言われて思い浮かべていただけたかも知れません（トイレが水道の一部と言われても……確かに違和感があるかも知れませんが、水が出る末端であることは確か……水道の勉強を進めていくと水道の一部と言わざるを得ないことが分かってきます）。

普通はここまででしょうが、せっかく水道の勉強を始めようと、この本を手にしていただいたので多少の想像力と探究心でもう少し深追いしてみましょう。町内会のエリアぐらいが一枚になっている地図を持って、一旦、家の外に出てみましょう。今から1時間ほどの水道を追う〝まち歩き〟です。

まずは、「自宅の水道メーター」を見つけ出しましょう。みなさんが支払う水道料金を決めているのがこの水道メーターです。水道料金のもとでありながら、意外とどこにあるか意識していないかもしれません。アパートやマンションといった

メーターボックス外見

メーターボックスの中（止水栓・水道メーター）

集合住宅であればいろいろな形式がありますが、戸建てであれば比較的分かりやすいはずです。まずは、玄関を出て道路との境界線あたりを探してみてください。

たぶん、四角の蓋のついた水道メーターのメーターボックスが見つかるはずです。

集合住宅だと玄関脇の小さな扉の中にあったり、入り口でセキュリティがかかっているようなところでしたら、やはり玄関前に並んで設置されていたりします。


どちらにしても、自宅の水道の根元はすべてここ。自宅の蛇口など給水栓からたどれば、建物の中の配管からどこかで地中に入って、この水道メーターにつながっています。

メータボックスと道路との間に「止水栓」があるはずです。丸い小さな蓋のついたものが目印。引っ越してきて水道を接続してもらう、引っ越して水道を止めてもらう、その時開け閉めしているのがこの止水栓です。


ここまでなら自宅探索!ここからが「すいどうまち歩き」です。

次に、自宅に水を送っている「水道管（配水管）」を追ってみましょう。追ってみようたって地面の下だから見えるはずないじゃん……おっしゃる通り。ですが、道路をあらためてじっくり見てください。（自動車等には十分ご注意を!）あちこちにマンホール、蓋、マーク……交通標識のほかにも、いろんなものがあるのに気付きます。道路の下というのは、公

上部の四角の表示が消火栓（①）
水道管はこの道の左側にありそう。

共の構造物が入る貴重な空間です。単に人や車が通るだけのものではありません。アスファルトがつぎはぎになっている？それは何かを埋めるために掘り返して舗装し直した跡です。そこに気づくようになると、かなり「すいどうまち歩き」に近づいてきました。

確かに水道管、配水管を直接見ることは取り替え工事でもない限りできませんが、その〝とっかかり〟は注意してみると意外とあるものです。

配水管は道路の下にありますが、道路と言ってもどこに入っているんだろう？次はそれを探りましょう。

家の前の道路を適当に歩いてみましょう。道路の横（横断方向）、左右を注意しながら歩いていると、おそらく「制水弁」と書いてい

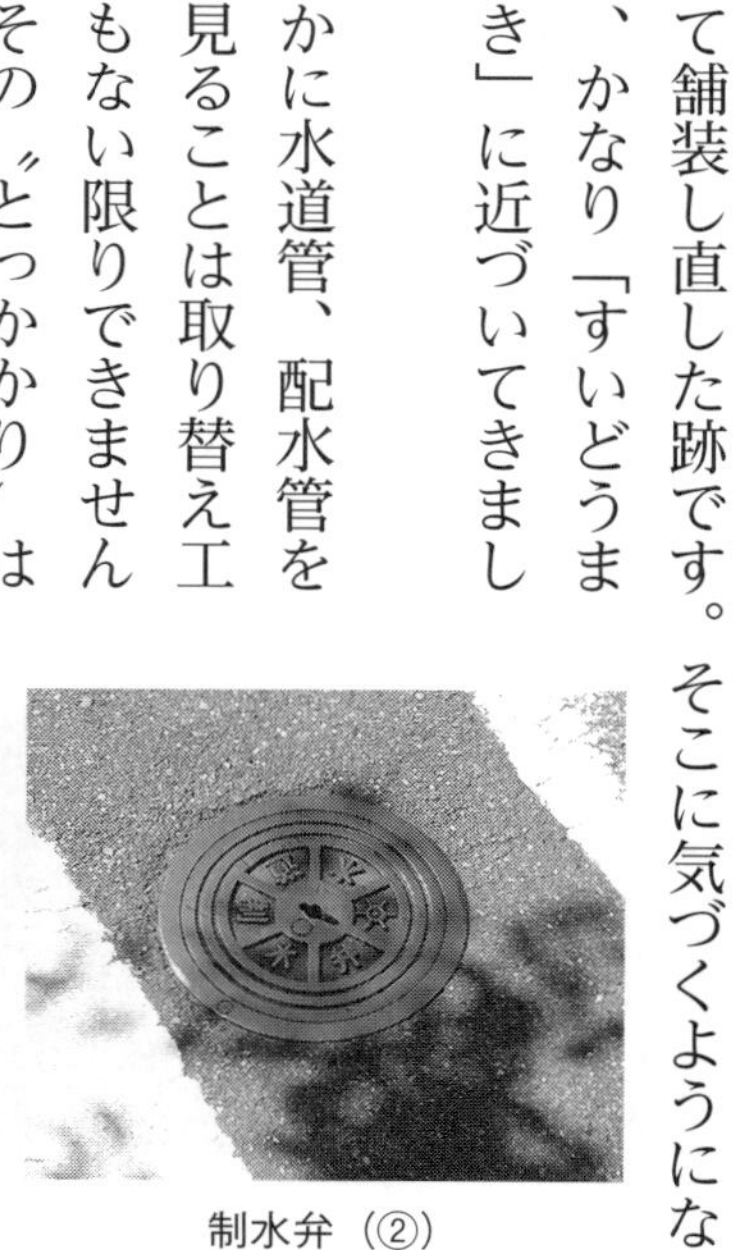

制水弁（②）

仕切弁（③）

る蓋（おそらく金属製）があるはずです。今度は、もう一度自宅方向に戻って……行き過ぎましょう。制水弁がその先にもあれば、しめたもの！この２つの点を結んだ直線上の下に配水管があると思って〝ほぼ正解！〟です。この配水管から分岐して先ほどの止水栓を通って自宅に水がきています。配水管が道路の真ん中か、どちらかに寄って埋設されているかが分かります。アスファルトがつぎはぎ……それはほとんどの場合、道路の都合でなく、道路下の埋設物のせいです。制水弁や仕切弁の前後だけアスファルトが変わっていたら、そこに水道管を埋めた補修跡、間違いなくそこに埋まっています。

　我が家の左を見ると……四角いものが「消火栓（①）」。どうも道路の左側に配水管が入っているようです。その先に行ってみると横断歩道上に「制水弁（②）」が見つかりました。

　逆に右側に行ってみると制水弁やら「消火栓（④）」やら。「仕切弁（③）」などは、家との境界近くや私道の入り口なんかにたくさんありました。

　四角い消火栓もありますが、近頃は小さい丸型の消火栓も多く

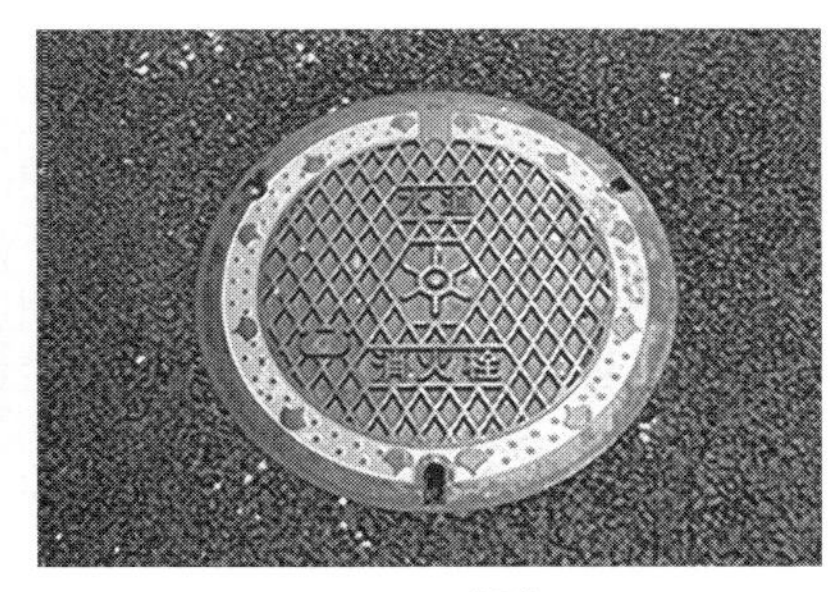

消火栓（④）

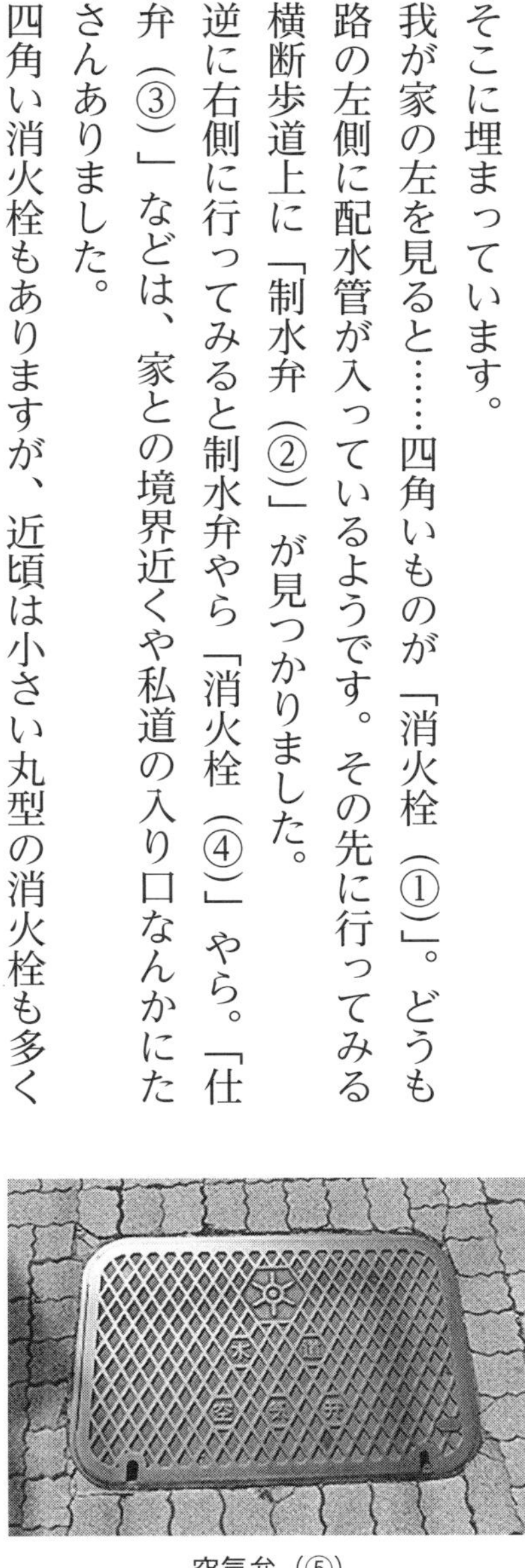

空気弁（⑤）

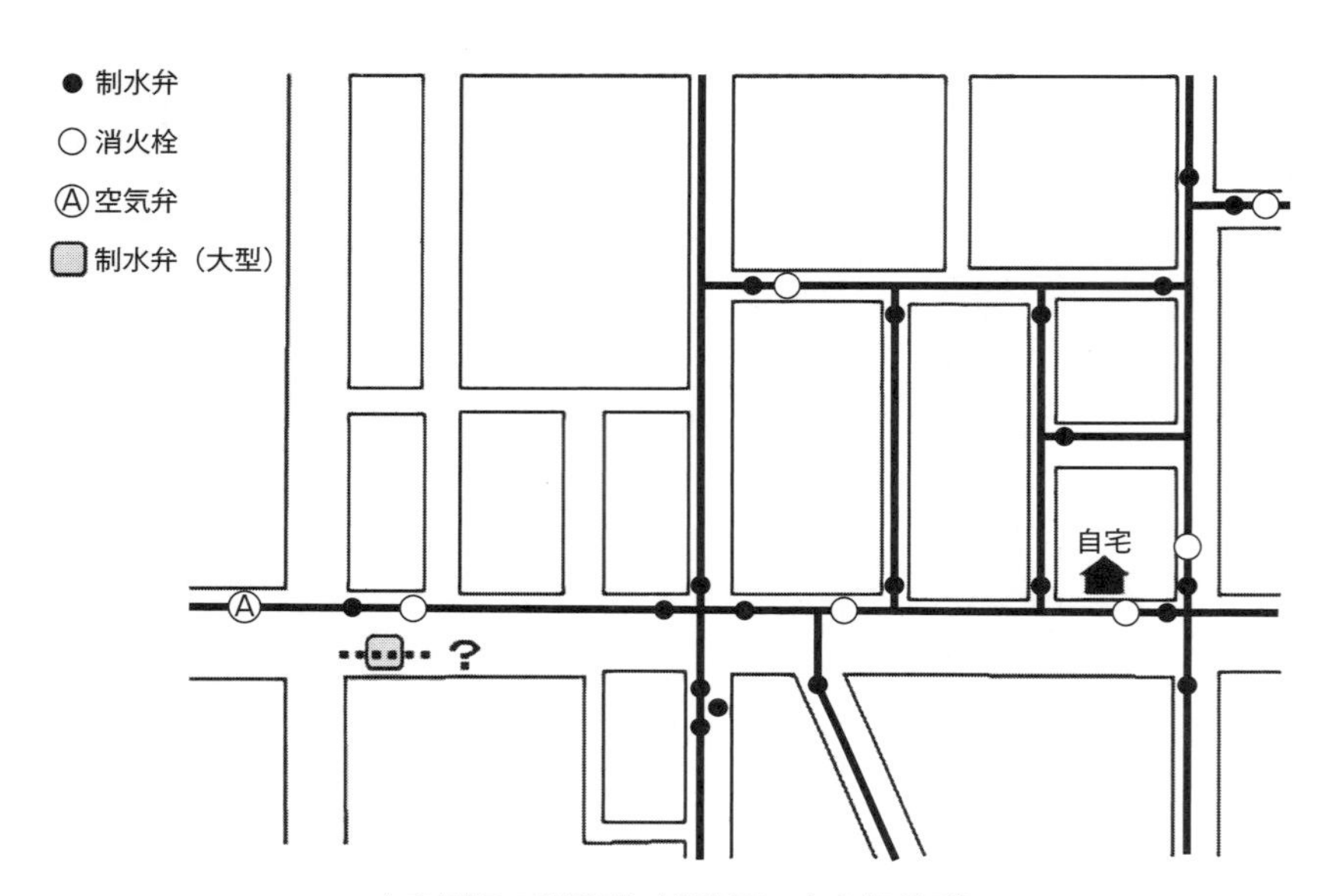

自宅周辺の管路図（想像図：東京都某所）

道の左右に制水弁があり、上の四角の制水弁は他と違って大型。
２本の水道管（送水管か配水本管と配水支管）がありそう。

なってきています。昔は地上に出ていた消火栓（赤く塗られたサボテンみたいなもの）も、現在は地中式が一般的です。

まだここまで10分、15分の話でしょう。せっかくなので、もう少し近所巡り。本格的な「すいどうまち歩き」をしてみましょう。うまくいくとこんなものも見つかるかもしれません。「空気弁（⑤）」とは、水道水と一緒に入ってしまう泡、空気の抜き口で、配水管の途中に付けられるものです。消火栓にしても空気弁にしてもみんな配水管に設置されるものなので、その蓋、マンホールの下に配水管があります。これらをつなげば近隣の水道管が（想像の世界ではありますが）見えてきます。

ここまでざっと「すいどうまち歩き」1時間の散歩でできることです。ぜひとも「週末ちょっと体動かそうかな」などと思ってやってみてください。水道が身近に感じられるはずです。

我が家周辺の管路想像図を描いてみると右ページのような感じです。大きな制水弁が同じ道路上にあったので、水道管が2本入っているのかもしれません。制水弁と制水弁の間隔が150mといったところで、これが工事の単位になっているのです。

さらにあちこち地図を見ながら歩けば、配水池など今まで見てきた配水管の起点になる施設にも出会えるかも知れません。地図をよく見ると「水道道（すいどうみち）」や「水道道路」などと名付けられた道路を見つけられるところもあります。ここから先は多少の慣れと調べる時間、熱意が必要になってきますので、この本を読み終わったぐらいの時に、挑戦してみてください。

見えない水道も少しばかり見えた気がしてきませんか？身近でありながら分かりにくい水道を知る第一歩を踏み出しました。

ようこそ水道の世界に！楽しく水道を学んでいきましょう!!

「すいどうの楽学」のはじまりです。

第1部　初心者編

水道を勉強する出発点

（小学4年生・社会）

■すいどうの楽学の出発点

水道を勉強するにあたってどこからスタートするか？ありがたいことに日本には義務教育があります。義務教育ですから日本国民の義務*で、全員が受けているはず、知っているはず……。その中で、小学校でほぼ全員水道を勉強します（この頃は！私は習ってない？それは私のように昭和の時代に生まれた方の話。若い方はほぼ間違いなく習っています）。小学4年生の時に浄水場の見学に行ったという方も多いはず。ここを「すいどうの楽学」の出発点にしましょう。小学4年生の社会では私たちの生活を支える社会活動を勉強します。その中で警察・消防などとともにライフラインを学び、その例として水道が取り上げられています。

これ以外に水道が義務教育の範囲内で取り上げられるのは、中学生の公民で公共料金の決定方法（電気料金、ガス料金のような認可料金と水道料金のような地方公共団体決定のもの

＊正確には教育を受けさせる義務ですが……教育を受けるのは権利です。

がある）ぐらいなものかと思います。

というわけで、特に自分から水道に関心を持たなければ、この小学校での知識以上のものがなくても仕方ないというところ。とはいえ、小学校の時に何をやったかなんて覚えていないのでは？そこで、その復習から始めましょう。

■小学4年生の勉強内容

改めて小学生の社会の教科書を読んでみて……。これらがきちんとすべて理解できれば「すいどうの楽学・初級編」が不要かと思うほどの内容でした。

検定教科書を見ると、小学3・4年生の社会科で水道が取り上げられています。その内容を復習します。

検定教科書4冊を見るとその題目は、「くらしをささえる水」か「水はどこから」のいずれかです。これは「水道の機能」に着目するか、「水道の構成」に着目するか、そのどちらかで教科書が書かれているということになります。

さて、この教科書の中に出てくる用語を以下に挙げます。全部、お分かりになりますか？（小学4年生の問題です。つまり、義務教育です。復習です。このようなことを習いに皆さんのところに子供たちが学習に、見学に来ています。分からないというのは……（苦笑））。

さて、どんな水道用語を習っているかというと……。

こんな専門用語が並んでいます。


ダム、取水口、取水ぜき、浄水場、配水池、ポンプ所、受水槽、ポンプ、導水管、送水管、配水管、メーターボックス、止水せん、タンク、ふく流水、ちんさ池、取水ポンプ、急速かくはん池、薬品ちんでん池、急速ろか池、じょう水池、そう水ポンプ、塩素、消毒、ぎょうしゅうざい、中央管理室、水質試験室、自然流下方式……

次に、学習する内容です。

・ふだん、わたしたちはどんなときに、どれぐらいの水をつかっているのだろう。
・わたしたちの市では、どれぐらいの水がつかわれているのだろう。
・わたしたちにとどく水は、どこから送られてくるのだろう。
・浄水場では、どのようにして安全な飲み水をつくっているのだろう。
—川の水をどのようにして飲める水にしているのか。

—つくった水が安全かどうか、どのようにしてたしかめているのか。

—働く人たちは、どんな仕事をしているのか。また、気をつけていることはどんなことか。
・浄水場につながる川の上流は、どうなっているのだろう。
・ダムや森林は、どのようなはたらきをしているのだろう。
・水源を守るために、どのような取り組みをしているのだろう。

これらにすべて答えられるかと言われれば……求められる程度にもよりますが、なかなか大変です。これらに加えて、節水、再利用、再生利用、世界の水事情、食料生産に必要な水や水道水1㎥当たりにかかる費用の中身なんてのもあって、さらに「使った水はどこにいくのだろう」と下水道の話が続きます。小学4年生の勉強も大変なものです。

さらには、「源流エコツアーに参加」、「水や川の環境に関係のある地域の行事を調べてみよう」、「市や県の水道の歴史を勉強しよう」、「水や川の環境を守るための人々の取り組みについて調べてみよう」、「環境調査に参加する」……。ここまでくるとすべてきちんとやったことがある人がいるかどうか……。私自身ギリギリでしょうか（苦笑）。

小学生でも、場合によっては（どの程度、理解・定着しているかは分かりませんが）これぐらいの用語と内容を学習しているわけです。まずは、これらを概ね理解して、自信を持って分かりやすく小学生に水道を教えられるところを目標にしたいと思います。

ちなみに、小学4年生の社会では水道を学習していると書きましたが、日々の生活を支える社会システム、その一つとしていわゆるライフラインの勉強をしましょう、とされています。例として、水道、下水道、ごみ、リサイクルといったものが取り上げられています。電気やガスでもいいのでしょうが、具体例として身近なものということなんでしょう。水道と何かの組み合わせが一般的で、「水道・下水道」、「水道・ごみ・リサイクル」が一般的なようです。

水道の基本構成

(1) 水はどこから？蛇口から遡って水源へ

みなさんもそうだと思いますが、普通の人、いわゆる利用者目線で水道が水道と認識されるのは、やはり「蛇口」、「給水栓」ということになろうかと思います。ここから始めて水道の基本構成を見ていきましょう。

水源から蛇口に向かって、水の流れに従って説明するほうが話としてはきれいかも知れませんが、まずは一旦、身近なところから水源に向かって遡ってみましょう。その後、再度、多少専門的な用語、内容を補足しながら水源から蛇口に向かって再整理します。この時点では多少用語が分からなくても大丈夫。先に読み進めましょう。往復することで格段に理解が進むはずです。

◆

「蛇口」、「給水栓」の後ろには「給水管」があります。壁の後ろや床下の屋内配管をたどると、それが1世帯ごと（一戸建てなら1戸、アパートやマンションなら1区画）に1本の給水管にまとめられ、家屋・区画の外に出て、その先に「水道メーター」がついています。水道メーターにはさらに「給水管」が接続してあり、家の前の道路下に埋設してある（埋めてある）「配水管」に接続されています。配水管は道路下に張り巡らされていて、数百戸から数千戸の単位をまとめた「配水池」に接続されているのが一般的です（……ぐらいまでが冒頭の「水道を見てみよう」でした）。この配水池には「送水管」が接続されていて、それが「浄水場」に接続されています。「浄水場」は、井戸か河川の取水口につながっていて、これをつないでいる管路を「導水管」と言います。

　まずは、各家庭の「給水栓から道路下の配水管への接続」までと「配水管から取水口」まで、この二つに分けて、イメージしてみてください。前者は、具体的に手で触れる家屋内外のスケールのものですが、後者になると大きな水道システム、いわゆるインフラ*のスケー

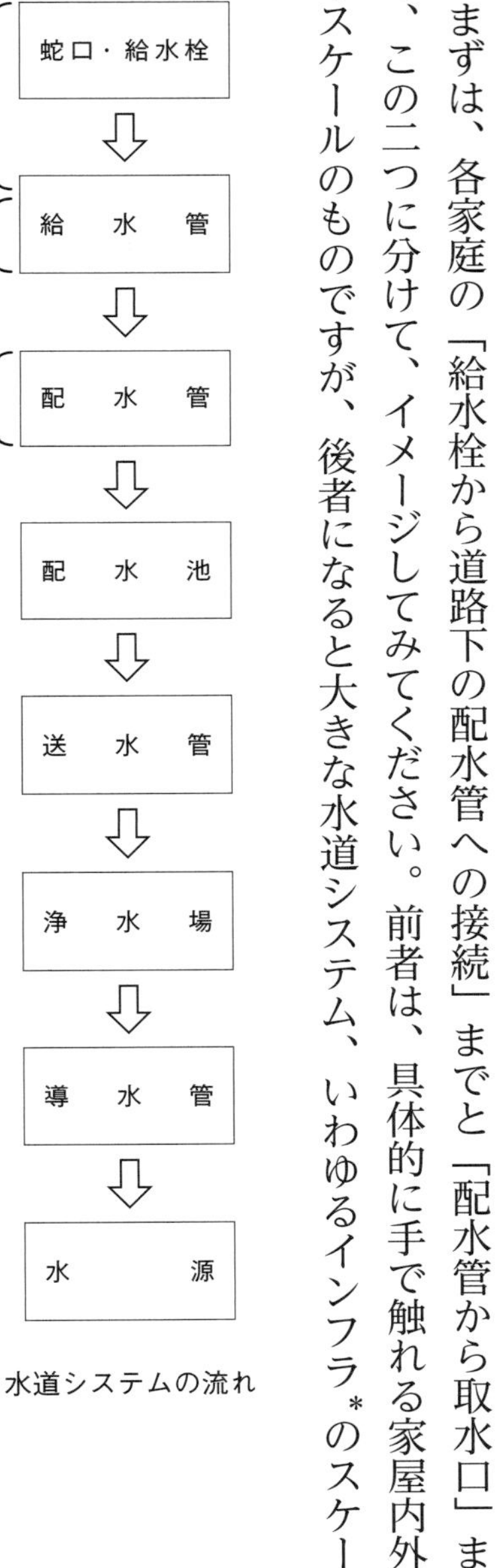

水道システムの流れ

＊インフラ：インフラストラクチャー。よく使われる言葉ですのであえて略しています。訳すと社会資本。

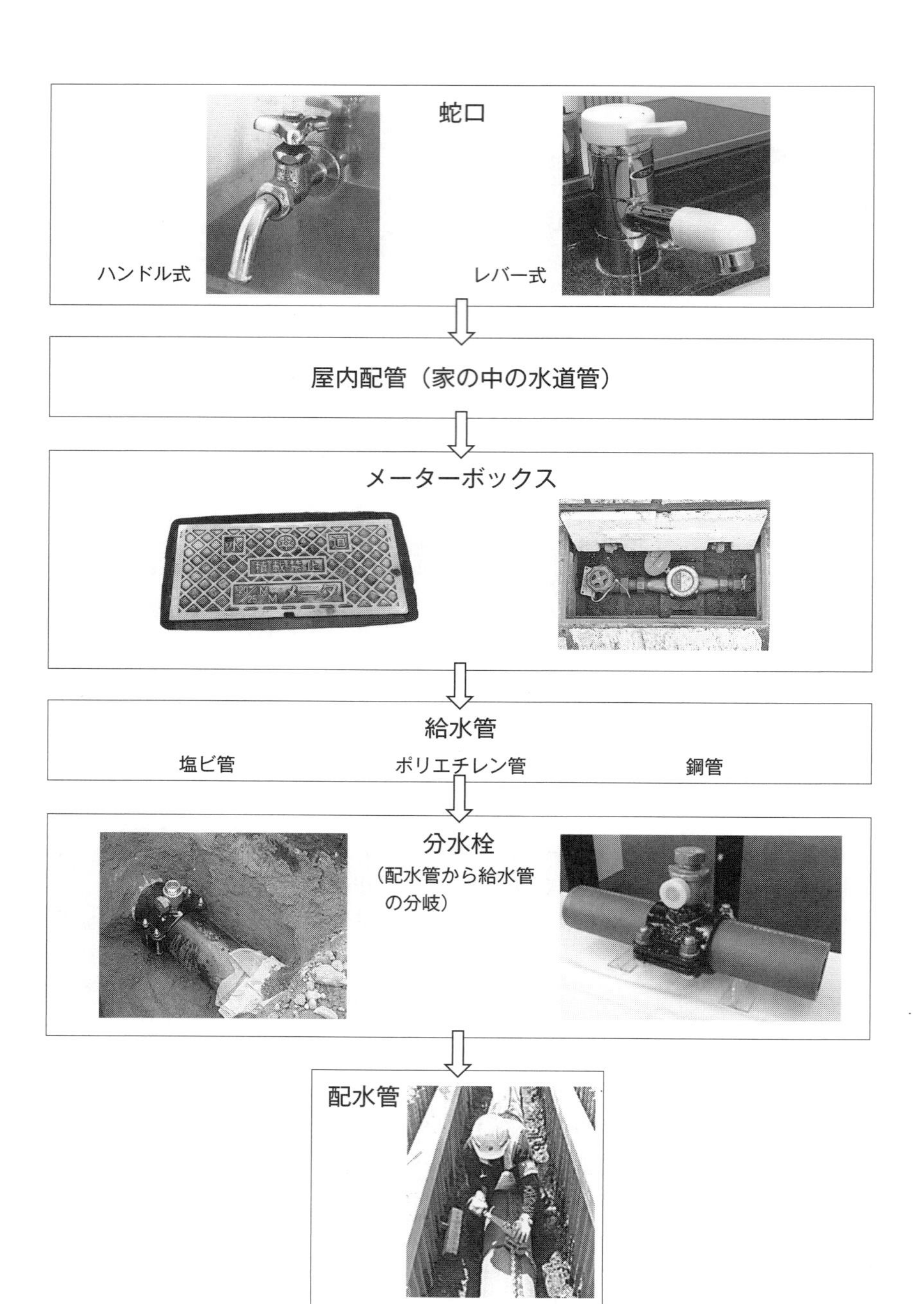
蛇口
ハンドル式
レバー式
屋内配管（家の中の水道管）
メーターボックス
給水管
塩ビ管
ポリエチレン管
鋼管
分水栓
（配水管から給水管
の分岐）
配水管

蛇口から配水管まで

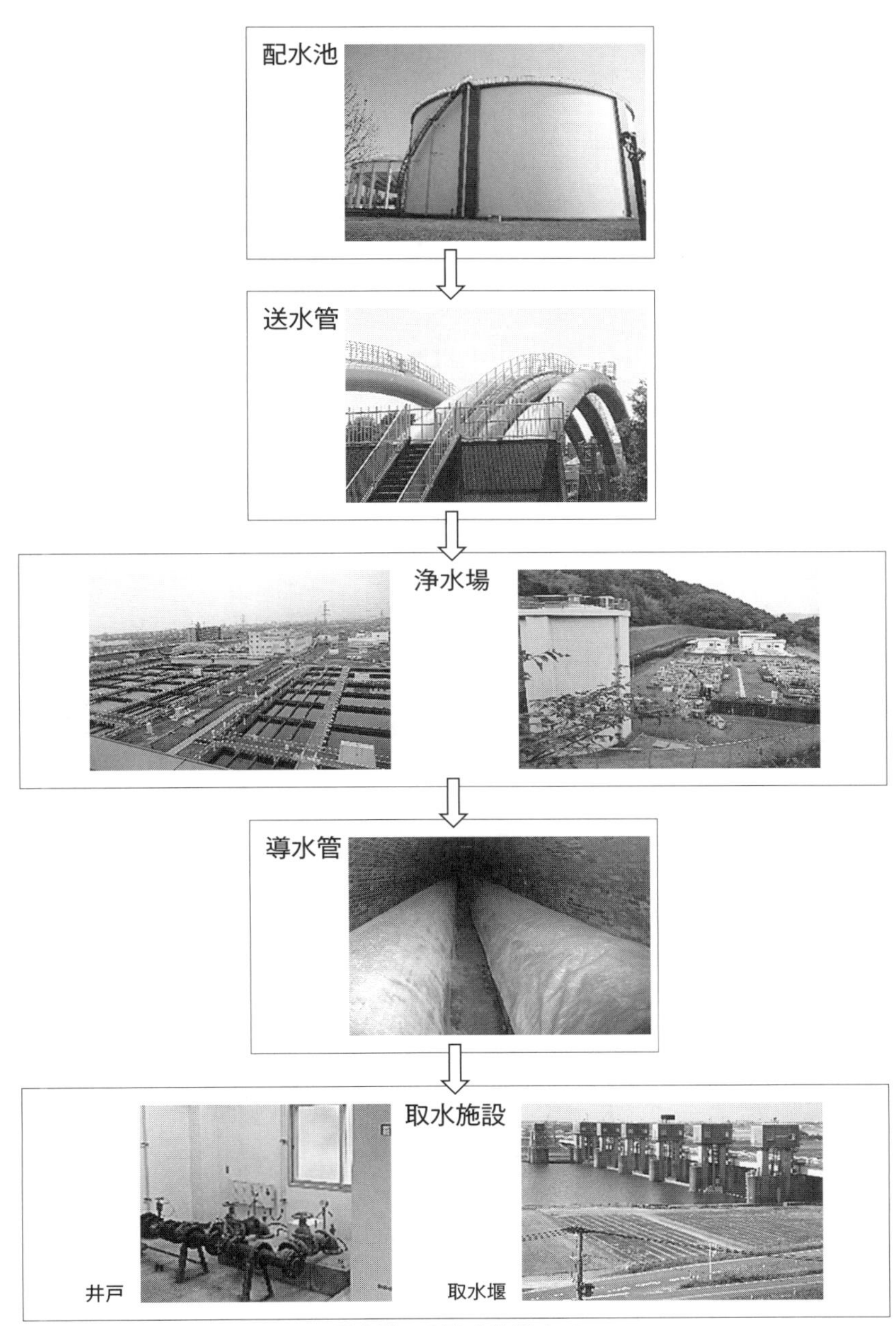

配水池から取水施設まで

ルで、地図や図面で見るようなものになります。

「水はどこから?」にきちんと答えようとすると、取水場所の先、水源まで遡らなければならなくなります。どこかの旅番組のように「〇〇川の源流、最初の一滴はどこから?」みたいな話になってきますが、これは地域ごとにみんな違いますので、水道の勉強としてはここで一旦打ち切ります。地域ネタとしてこの先を追っていただくのもいいかと思います。

(2) 水の旅?水の流れにのって、水源から蛇口まで

逆に水源から蛇口へと流れに従って見直すと……。水源は大きく分けて地下水か河川水のいずれかです。この水源から水を取ることを『取水』と言い、地下水であれば井戸が、河川水であれば河川に設置された取水口が「取水施設」となります。取水施設から浄水場までの水の輸送を『導水』と言い、それに必要な管路を「導水管」と言います。管でなく、水路であったりトンネル(日本語では隧道(ずいどう))であったり、場合によってはポンプによって水を押し上げるようなことも行われており、こういったものを総体して呼ぶ際は「導水施設」と言ったりします。

導水された水は、「浄水場」で『浄水』され「上水」となります。ここで水質が確保され、飲める水に変わるのです。

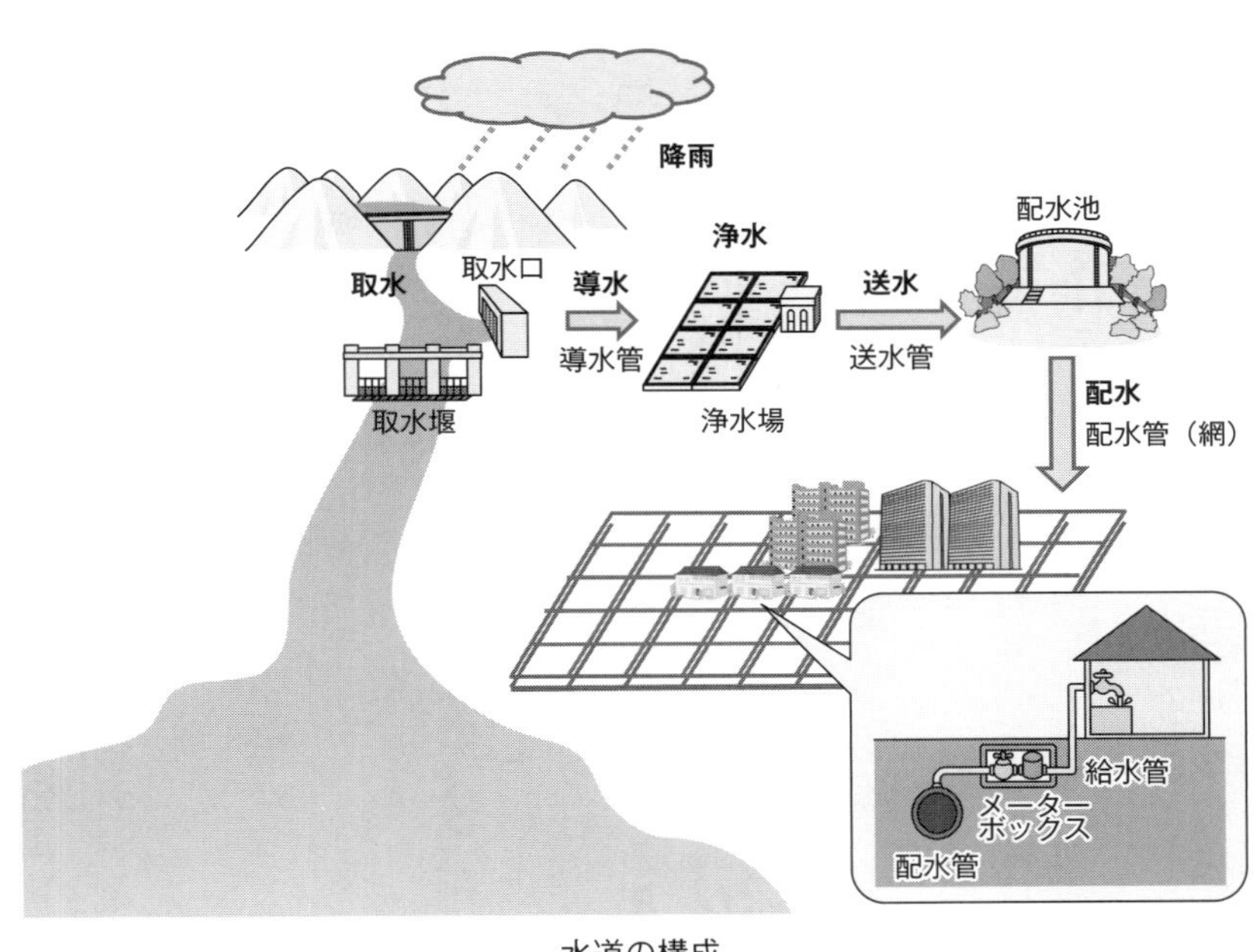

水道の構成

上水となった水を配水池まで運ぶことを『送水』と言い、その管路を「送水管」と言います。配水池から家まで水を運ぶことを『配水』、その管路を「配水管」と言います。配水管から各家に水を送ることは『給水』と言い、各家に引き込む管のことを「給水管」と言い、給水管の途中、道路から各家の敷地に入ったところに水道メーターを設置するのが一般的です。この先、家屋の内部配管へとつながり給水栓から水が出ます。給水管や給水栓をまとめて「給水装置」と呼びます。

アパートやマンションなどの高層集合住宅では、給水管の先に受水槽が置かれ、ポンプで建物屋上に設置されたタンクに貯められるのが一般的です。そこから階下に向かって建物内の給水管を通って各世帯の入り口近くに設置された水道メーターを通って各家庭に送られます。

文章にするとかなりの文量で複雑ですが、水の流れに沿って、『取水』、『導水』、『浄水』、『送水』、『配水』、『給水』を経て給水栓に届く、各段階の水の扱いを表現する言葉として覚えてもらうと、水道の話は格段に分かりやすくなります。

(3)水道の定義と基本構成（慣れよう所有・管理区分）

まだまだ水道の基本構成が続きます。「基礎と基本が一番大事！」はすべての勉強の基本です。ここさえしっかりしてしまえば、その後の知識、情報はきちんと入っていきます。今は、頭の中に今後の内容を納めるべき書庫、引き出しを作っている最中。もう少しお付き合い下さい。

一応、水のつながり・動きを追うことで、施設・機能の基本構成を往復して眺めてきました。この段階で、少々固い話に思えるかも知れませんが、水道の定義に進みます。

水道の基本法律に「水道法」というものがあります。この法律に「水道」が定義されていて、『「水道」とは、導管及びその他の工作物により、水を人の飲用に適する水として供給する施設の総体をいう。』とされています。管路を中心とした取水から給水までの機能を担う施設の総体、すべてをもって「水道」と言う、と定義されているわけです。

この施設の総体とされる「水道」を、機能別に分類するのが通例となっています（通例になっているということは、そのように分類、分解すると理解しやすい、事業として考えると運営、管理がしやすいということ、長年の知恵です。ここは先人の苦労と知恵に従いましょう）。

ここでのポイントは、「水道」が水源から取水する、その時点から始まること。原水を飲用適な（飲むことができる）水とする『浄水施設』と、地域拠点となる「配水池」を区切りとして施設の区分がなされていることです。

具体的には、

①水源で原水を取水する『取水施設』
②取水施設から浄水場（浄水施設）まで原水を運ぶ『導水施設』
③浄水場から配水池まで上水を運ぶ『送水施設』
④配水池から各家の前まで上水を運ぶ『配水施設』
⑤配水施設から各家まで引き込み、その先の蛇口まで上水を運ぶ『給水装置』

となります。

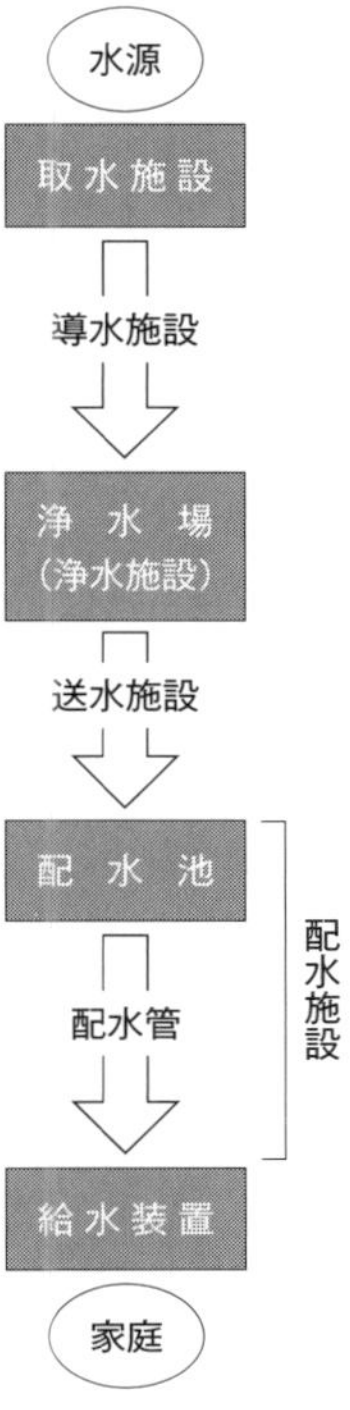

水源
取水施設
導水施設
浄水場
（浄水施設）
送水施設
配水池
配水管
配水施設
給水装置
家庭

水源から家庭まで
（簡略図）

一般的に、最終的な給水管、給水装置は、個人の持ち物（個人財産）となります。屋内配管は当然家屋の一部ですので個人財産であるというのは分かりやすいかと思いますが、実は道路から家までの給水管も個人で設置して下さいというのが通例となっています。

このように「水道」というのは、水道事業者（とりあえずここでは市町村などのいわゆる水道局と理解しましょう）の財産である取水～配水までの施設と個人財産となる給水装置とが一体になったものを指すことが分かります。

「水道」のうち、水道事業者の財産である部分、つまりは給水装置を除く部分、取水施設から配水施設までを、水道法上の「水道施設」としています。

水道自体が施設の総体と言いつつ、水道施設となると別の定義がある……。多少とっつきにくいとは思いますが、言葉とその定義だけは慣れるしかありません。そういうものだと思って、ここだけは受け入れましょう。今後の理解の土台になります。

「水道」＝「水道施設」＋給水装置ということになります。ポイントは、「水道」より「水道施設」のほうが法律用語としては範囲が狭いということです。一般用語としては、混同して用いられることも多く、このような定義が（例えば水道の専門書でも）必ずしも守られているわけではありません。水道法ではそうなんだ、ということで理解してください。

さらに面倒なのは、一般的に給水装置のうち配水管から水道メーターまでの給水管・メーターの管理は水道局側で行うこととしているのが通例だということです。確かに利用者が道路下の給水管まで管理することはできませんので、これらの維持管理は水道局の業務とするのも無理からぬところで、現実が生んだある種の知恵と納得しておくのがいいかと思います。

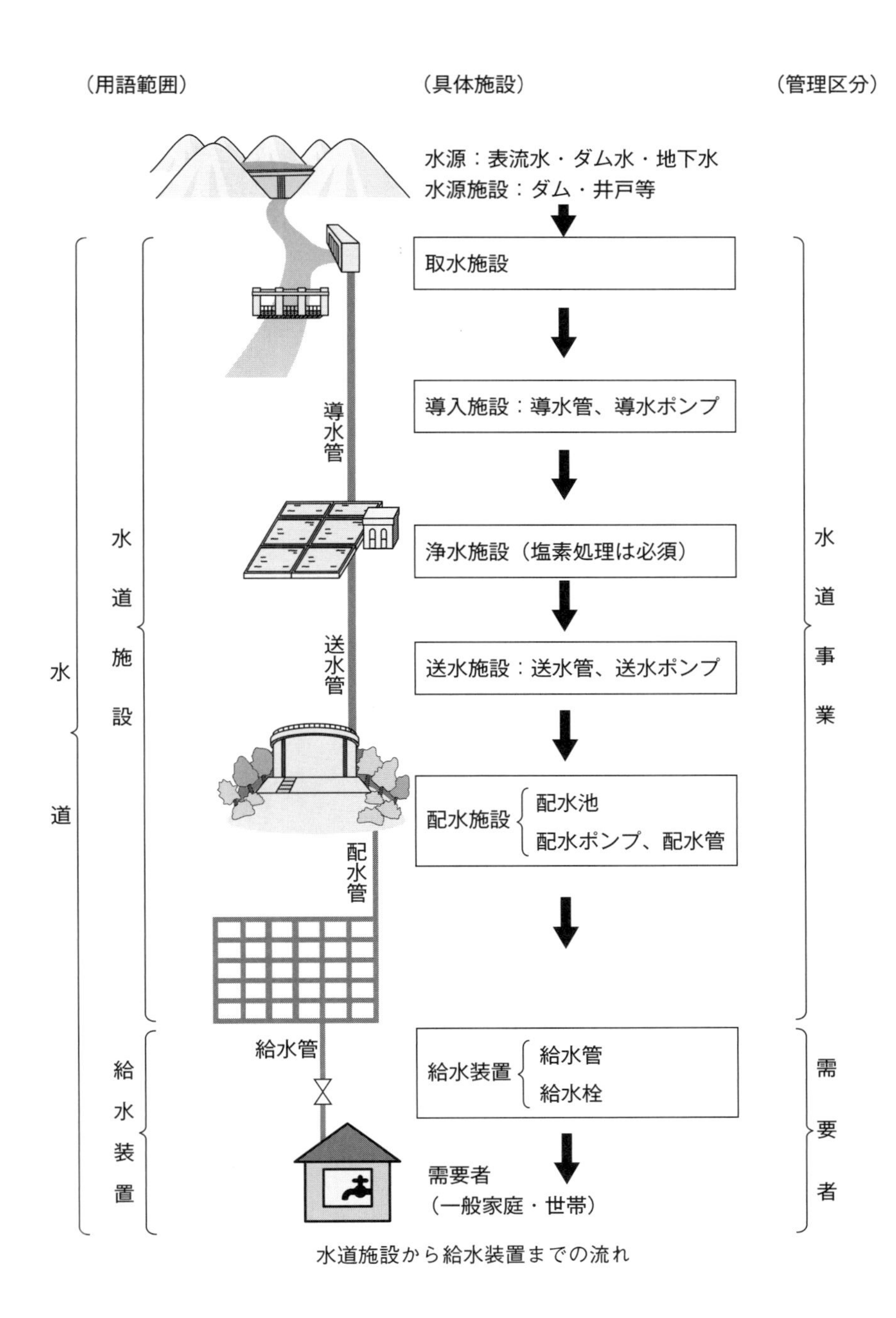

水道施設から給水装置までの流れ

水道事業の関連用語

（水道事業の広義と狭義、事業体制を表す用語群）

■もっと言葉に慣れよう

水道に携わって突き当たる最初の壁は、周りから聞こえてくる得体の知れない業界用語。聞いたこともないというところさえ乗り切れば、かなりこの世界が明るく見えてきます。そう信じて進みましょう。

復習を兼ねて、なんとなく使ってきた用語を含めて一旦の整理をここでしておきたいと思います。「あ～何言ってるのか分からん！」という状況が起きるのは、その中身の問題よりも、端々に折り込まれる業界用語がまだモノになっていない場合です。とにかく言葉に慣れて、「え～と、なんだったっけ？」の間に話が進んでしまう状況を脱しましょう。

ここまで日常生活の中で見聞きする水道から、水道の構成、基本機能を説明したことで、水道の基礎用語に慣れてきたはず。ここからは、事業形態を表現する用語に進みます。

少しおさらいをしながら進めます。

『水道』は施設を表す言葉、「施設の総体」です。そして、なぜか法律用語で「水道施設」というと、水道より範囲が狭まり、水道局が所有・管理する施設を指し、それ以外の個人所有部分（屋内の配管、給水栓など）は給水装置と呼びます。この水道施設と給水装置が合わさったものが『水道』となります。

◆

『水道』は、その部分施設が担う機能に応じて施設区分がなされます。その機能は、「取水」、「導水」、「浄水」、「送水」、「配水」、「給水」となっていて、これらに施設をつけて「○○施設」として、区分されます。

ここまでを基本に、事業としての話に進みます。水道事業は、この水道を具体に動かして水道水を利用者、住民に届けるという事業。ここからは行政サービスを実施する事業体制を学びましょう。

さて、ここまで実は少々居心地が悪い思いで「水道局」と書いてきていました。地方公共団体の一部局として水道事業を担う組織を「水道局」として書いてきましたし、おそらく一般的にそこそこ定着した言葉と思ってのことです。しかし、この水道事業の実施主体を水道法では「水道事業者」と言います。また、業界用語として「水道事業体」とも言います。ここでは今後これらを『水道事業者』に統一したいと思います。

また、何気なく使ってきた「水道」、法律用語としての施設総体を指す「水道」でなく、一般用語の水道、いわば広義の「水道」もここで整理しておきましょう。

〝水道〟と普通に使った場合、上水道と下水道の両者を指す場合もあるでしょう。「上下水道」という言葉があるのは、「水道」が上下水道を指すのか、上水道のみを指すのか、その紛らわしさを避けるためでしょう。一般用語としての「水道」には、上下水道を指す広義の意味と法律用語としての上水道を指す狭義の意味があるということを理解しましょう。

「水道事業」にも広義と狭義があり、広義は飲み水を作る事業全般を指します（これだけでは何のことか分からないと思いますが、構わず読み進めれば分かるようになります）。広義の水道事業の中には、狭義の「水道事業」と「水道用水供給事業」があり、周りから聞こえてくる〝マッタン（末端）〟だの〝ヨーキョー（用供）〟だのというのは、この狭義の水道事業と水道用水供給事業を区別するための言葉です。

「水道用水供給事業」は、「用水供給」とか「用供（ようきょう）」と略して話されますが、個々の利用者、家庭までの〝配水を行わない事業〟のことで、基本的に「取水から送水」までの事業です。これに対し個々の利用者・家庭への配水まで一貫して行う事業が狭義の「水道事業」、業界用語で言う「末端供給事業」（よく、末端、末端供給なども略されます）となります。用水供給を「卸売り」、末端供給を「小売り」とよく例えられます。一般個人から料金をもらうのが、末端供給、その「末端」から料金をもらって事業を行っているのが、「用供」です。

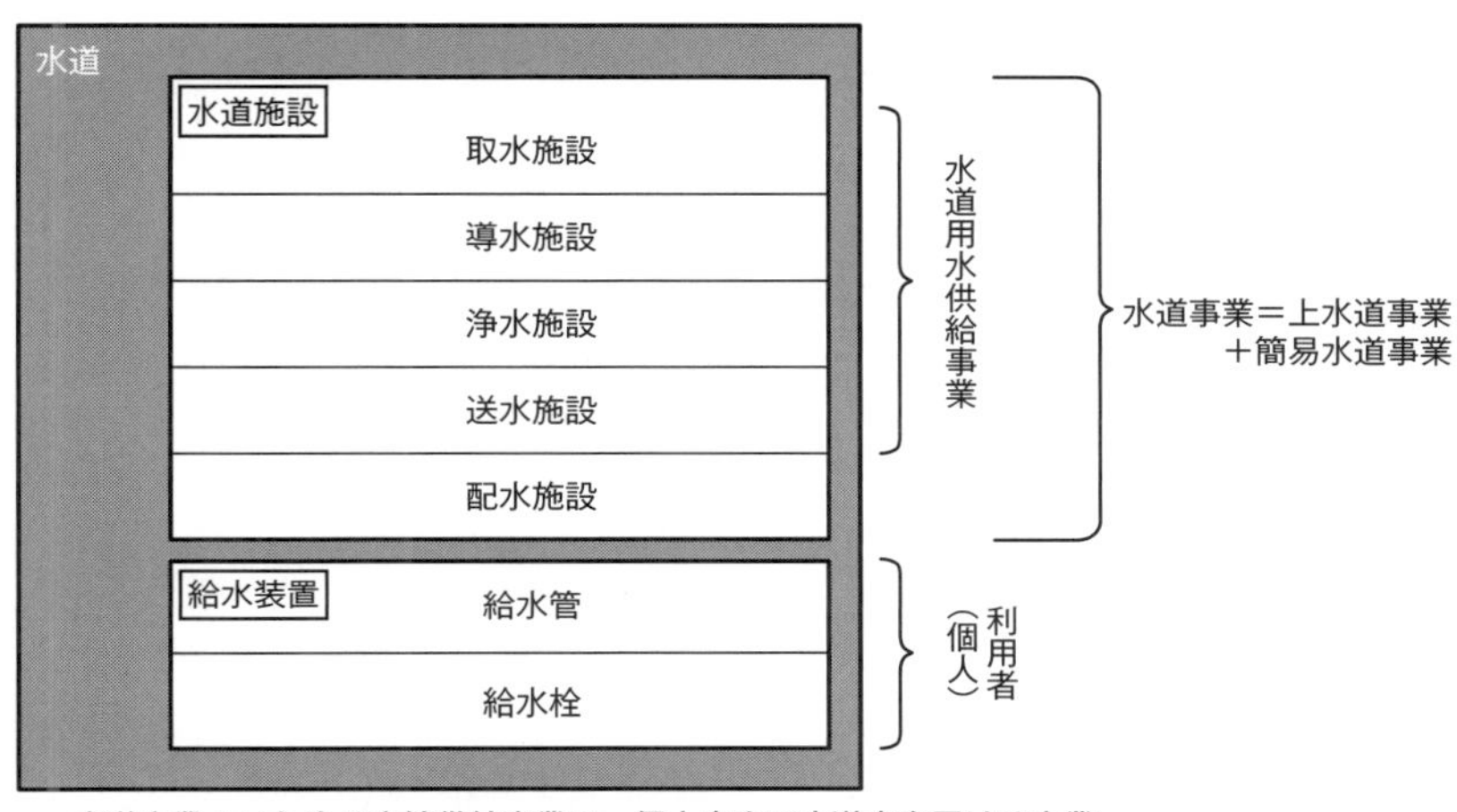

水道事業：いわゆる末端供給事業で、個人宅まで水道水を届ける事業。
水道用水供給事業：水道事業を相手に水道水を供給する事業。水道水の卸売りと言われ、小売りはしない。
水道施設：水道（総体）のうち、水道事業者が管理する施設のこと。
給水装置：水道のうち、個人の所有・管理するもので、個人の敷地内の管や設備。

末端供給事業・用水供給事業の関係

さらに、この末端供給事業（＝水道法の（狭義の）水道事業）を二つに分け、小規模事業、計画給水人口が５０００人以下の事業を「簡易水道事業」、略して「簡水（かんすい）」と言います。これは水道法の用語です。簡易水道を除く末端供給事業、つまりは計画給水人口５００１人以上の比較的大規模な末端供給事業を、「上水道事業」（国庫補助要綱が根拠）と言っています（こんなところに〝上水道事業〟なんてのがまた出てくるところが、混乱の元なのですが、定着しているので仕方ありません。「上水道・下水道」といった一般用語のほかに、「上水道事業」という、水道事業のうち大規模なもの、簡易水道事業の対義語があるぐらいで理解してください）。

「なんで」とか、「分かりにくい」と言わ

れても仕方ないです。そこは実際使われるので観念を……。

まとめると、「水道法での水道事業」は、「狭義の水道事業」、末端供給事業のみを指す言葉で簡易水道事業を含むもの、上水道事業は広義では下水道事業の対義語、狭義というか業界用語的には大規模（5001人以上）の末端供給事業となります。

残念ながら、このあたりは慣れるしかありません。また、慣れるに従って、業界用語が生まれる理由も分かってきます。業界用語が存在するにはそれ相応の意味があるもの、言い分けたいという必要性がこれらの言葉を生むのでしょうが、いかんせん、水道の類義語が少なすぎて、一つの言葉に広義・狭義が生まれる結果となっています。

この水道業界、会話では必ずしも法律用語が優先されているわけでないことも事実です。その時々でどちらの意味で使っているのか分かるようになると初級者を越えて中級者かもしれません。

最初、違和感があっても、分かってしまえば、便利なものです。専門的になればなるほど細かい言い分けが必要、その入り口に来ていると思いましょう。

蛇足ではありますが、基本的に、『狭義を指す言葉が業界用語として生まれる』という法則があるように思います。業界用語を使いこなせないと、職業人・業界人として一人前になれないといったところでしょう。

よもやま話1

日本最大の水道専用ダム：小河内ダム（東京都）1億8000万㎥

水道専用ダムというのは、無いようである、というのが私の印象です。しかし、数えてみると純粋水道専用ダムで124カ所、水道と発電のみのものも加えると127カ所ありました。その127カ所のダムの中で最大のものはやはり東京都、多摩川の最上流にある小河内ダムで奥多摩湖と呼ばれるものです（水道・発電の3ダムの一つ）。

東京が水源を多摩川に頼っていた時代、その最大活用のため、この小河内ダムや村山・山口貯水池などが作られました。1億8000万tという容量は、日本のダムで13番目にランクされます（ちなみに、最大（有効貯水容量）は、奥只見ダム（発電専用）の4億6000万t、徳山ダム（水資源機構・岐阜県揖斐川）が2位）。その貯水量もすごいですが、なかなか貯まらないダムとしても有名です（降雨、流出特性から一度使うと満水になりません。一説には底をつくと貯まるまでに2、3年かかるとか）。

小河内ダムで有名なのは、ダムだけでなく、その周りで東京都水道局が管理する水源林です。東京都、山梨県にまたがり263㎢（東京都の面積の1割）にも及ぶ広大な水源林を持ちます。その歴史は100年を超え、荒廃したはげ山状態から始まり、今では見事な森林を見せてくれます。

水道事業の3要件

（利用者目線で考える　清浄・豊富・低廉）

■清浄・豊富・低廉

利用者から見た場合、蛇口・給水栓の後ろは知ったことじゃない、そこから出る水こそがすべて。そこからストレスなく水を使うためにその後ろの水道施設、水道事業があるわけです。それでは、どのようなことを満たすために、今まで見てきたような巨大な施設を必要とし、それを動かしていかなければならないのでしょうか。いわば水道サービスに求められる要件を考えてみましょう。

◆

当然、いろいろな要件が求められるのですが、それは単純化すると三つ、質と量と値段の条件に言い換えることができます。それを表すのが『清浄、豊富、低廉』というキーワードです。言い換えると「きれいで、ちゃんと出て、そこそこの値段」といったところ（後々、水道法の表現だと分かります）。この内容を少しばかり詳しく見ていきましょう。

水道事業は、「きれいで、ちゃんと出て、そこそこの値段で水を供給する」ために実施している、組織として行う事業です。残念ながら「ちゃんとやれ！」だけでは事業になりません。事業には、必ず満たすべき要件があり、それを具体的に支える施設、設備を揃え、それを動かす人、それを支える費用がなければなりません。どのように施設を作り、どう動かすのか。そのために、どのように働くか。精神論ではない、きちんとした設計とその体制運用が必要となります。

⑴ 水質

水道水は飲み水に使います。当然、安全で健康を害するようなことがない水質でなければなりません。しかし、こればかりではありません。安全だけでいいでしょうか？（安全ではなく安心という話ではありません！）「蛇口からジュースが出ればいいのに」と、皆さんが子供の頃に思ったかどうかは知りませんが、こんな迷惑な水道はありません。洗濯、風呂、料理などを考えると、無味・無臭・無色であることも非常に大切な要件です。いくら安全でも、料理に変な味が混ざる、臭いがある、洗濯したら色がつく、風呂が濁る色が出る、ではさすがにだめですよね。このように安全だけでなく、生活に支障をきたさず、嫌味がないようであることも同じぐらい重要な要素です。このために水源を選択し浄水処理を行っているのです。

(2)水量（実は水圧も）

蛇口を開いてもチョロチョロでは……生活するには大変です。コップ1杯に10秒……5秒でも耐えられる人はいません。それぐらい大丈夫?そんなことだと水を鍋いっぱいにするのに1、2分かかりますがいいですか?お風呂をいっぱいにするのに数時間かかりますけど……。きちんと出るというのは大切なことですし、それを確保するのは意外に難しいものです。

外国に行くと、こういう当たり前だと思っていることが、いかに当たり前でないかを目の当たりにします。飲めない水道は、ある意味よく聞く話かもしれませんが、出ない!となるとちょっと……。逆にそのようなことがあるということは、実現するのが大変難しい証しです。いろいろな分野で日本の当たり前は意外と当たり前ではないのです。

きちんと水量を出すにはきちんとした水圧が必要になります。身近な所で各家庭の最低限の要件として、0・15MPa（メガパスカル）以上の水圧が必要とされています。

MPa（メガパスカル）が分からない?私も分かりません（笑）。水圧に関しては私にも分かる非常に直観的な単位がありますのでご紹介しましょう。それは水頭（m）というものです。水の重さで圧力を言い換えるものですが、もっと簡単に「穴を開けて吹き出させると、どれくらいの高さまで吹き上がるか」、その高さで圧力を表す指標・単位と理解すると、分かりやすいと思います。これでいくと、0・01MPa＝水頭1mと換算できます。つまり、水道管というのは、穴を空けると15mぐらい吹き上がるほどの圧力が必要とされているわけです（管の破損といった漏水事故では本当にこういうことが起こります）。

「なんでそんなに……1mもあればいいんじゃない？」そう思った方、それぐらいなら水道局の人は苦労しないでしょう。水量のこともありますが、2階に水がいかなくてもよろしい？この頃は3階にトイレがある戸建住宅も少なくありません。なんて話になります。屋内配管を伝って3階でもトイレともなれば、20、30m吹き上がってもらわないと……なんて話になります。最低レベルとしては15mですが、20〜30mぐらいで運用されているのが実際です。実は現在の都市というのは（水の物量がないのでこうはなりませんが）、この20、30mの（仮想の）水の下に沈んでいるものなんです。

⑶そこそこの値段

水道料金に対して皆さんどのような感覚をお持ちでしょうか？一旦、一市民、一住民に戻ってみましょう。まずは、自分の払っている水道料金を知ってから。知らない方は……調べましょう！

水は生活になくてはならない……だから高くても仕方ない、とならないのが難しいところ。なくてはならないものだからこそ、逆に過度な生活の負担にならない程度であってほしいということになります。日本全国で平均すると1世帯当たり月3000～4000円といったところです。家計の消費支出の1％に満たない程度で、電気の3分の1、ガスの2分の1ぐらいですから、まあまあいいところとして見てもらいたいところです。

よもやま話2

上水・水道のはじまり

上水・水道といった言葉がついたもの、その最初は水道でなく「上水」で、1545年完成の小田原早川上水といわれています。これは農業灌がいと飲用の上水で、飲用専用としてできたものの最初は1590年完成の神田上水です。一方、「水道」と名乗ったものの最初は1605年完成の富山水道と言われています。

城が平地に築城（平城）されるようになり、城下町の形成などもあって、安土・桃山時代前後から上水・水道が全国に作られるようになっています。

①1545年　小田原早川用水：飲用・灌がい兼用
②1590年　神田上水：飲用専用
③1594年　甲府用水：飲用・灌がい兼用
④1605年　富山水道：飲用・灌がい兼用
⑤1607年　駿府水道：飲用・灌がい兼用
⑥1607年　福井芝原水道：飲用・灌がい兼用
⑦1607年　近江八幡水道：飲用専用
⑧1614年　米沢御入水：飲用・灌がい兼用
⑨1616年　赤穂水道：飲用専用
⑩1616年　鳥取水道：官専用

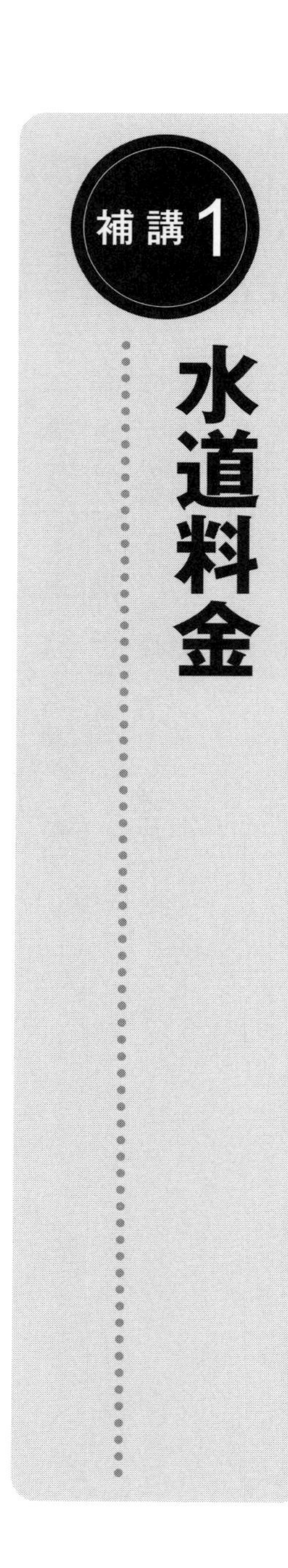

■全国各地でなぜ違う？ 環境がもたらす差違

水道料金は、興味も注目もされるところではないかと思いますので、少々細かい話を補講という形で加えたいと思います。これ自体は独立して読めるものなので、早く水道の全体像を掴みたいと思う方は、ここを飛ばして先を急ぎ最後に戻ってきてもらっても先の理解に支障はありません。

(1) 水道料金の違い

「なぜ、水道料金が各地で違うのか？」と問われることも無きにしもあらず。水道料金は日本中バラバラ……それで驚くか、当たり前と思うかで、ここから先の論調は大きく変わります。本来は違っていて当然なんでしょうが、残念ながら読者の皆さんの認識を聞くわけにもいかず……。水道事業を知れば知るほど、水道施設を知れば知るほど「同じはずがないではないか！」となるはずです。

地理条件や河川・地下水の状況がこれだけ異なる日本列島です。さらに街の姿も千差万別。水源から届けるべき市街地・居住地域まで同じ条件が揃うことなんてありえません。必要な施設とやるべきことが地域ごとに異なれば、〝街ごと地域ごとに水道を作れば〟当然その必要経費は異なりますし、これを回収する水道料金も異なって当然ということになります。言ってみれば『水道はその街の環境そのもの、環境が異なれば水道料金も異なる』というのが結論です。

さて、問題になりそうなのは、前述の「街ごと地域ごとに水道を作れば」という点です。国、都道府県、市町村という三つの行政主体を考えると住民の直接サービスを担うのは基本的に市町村。水道事業を担うのは、やはりと言うべきか、市町村になります＊。ということで、市町村ごとに水道事業を実施するのが通常ですし、それが結果的に料金も市町村ごとに異なることを、認めざるを得ないところじゃないかと思います。集落、街、都市の形成が、水の得られやすさと洪水からの安全、この二つの中で、自然発生的に進んできたことを考えれば、水道料金が同じであることは、むしろ不自然とさえ言えます。

水道料金の差違の話を越えて、善し悪しの話に進めば、当然事業主体や事業地域といった

＊水道法の中に「市町村経営原則」というのがありますが、その原則の理由もこれだと思ってもらっていいでしょう。

事業経営の話になってしまうので、ここでは一旦、差違の原因にとどめ、水道料金そのものや差違の状況といったところに注目してみましょう。

水道料金は普通どのくらいでしょうか?これに答えるために、全国の家庭用（20㎥）を見てみましょう。全国平均は３２００円強なので、これぐらいを普通とします。最高は６８４１円、最低は８３１円ですので、単純にみると「8倍の格差!」的な話になるのでしょうが、よく考えてみると……高いというより極端に安いところがあるとするのが妥当ではないかと思います。３、４人家族で1カ月１０００円以下ですから、改めて見直すと……やっぱり安すぎ!と言ってもいいのではないでしょうか。ということで、最高・最低で8倍の差より、「最高は全国平均の2倍強、最低は全国平均の4分の1のところがある」が普通の評価のような気がします。全国に１４００近くある〝上水道事業〟で高値10位と低値10位で比較すると5倍、わずか上位・下位９事業者を排除するだけでこれだけ料金差が縮まることも見ておきたいところです。

料金が高いところ10事業は北海道、青森か離島、一方、安いところ10事業のうち４事業は富士山の裾野。いかに環境が水道を決定するかを語っているように思います。しかも安いところは人がたくさんいる大都市かというとそんなこともありません。下位10事業はほぼ５万人以下の市町村です。

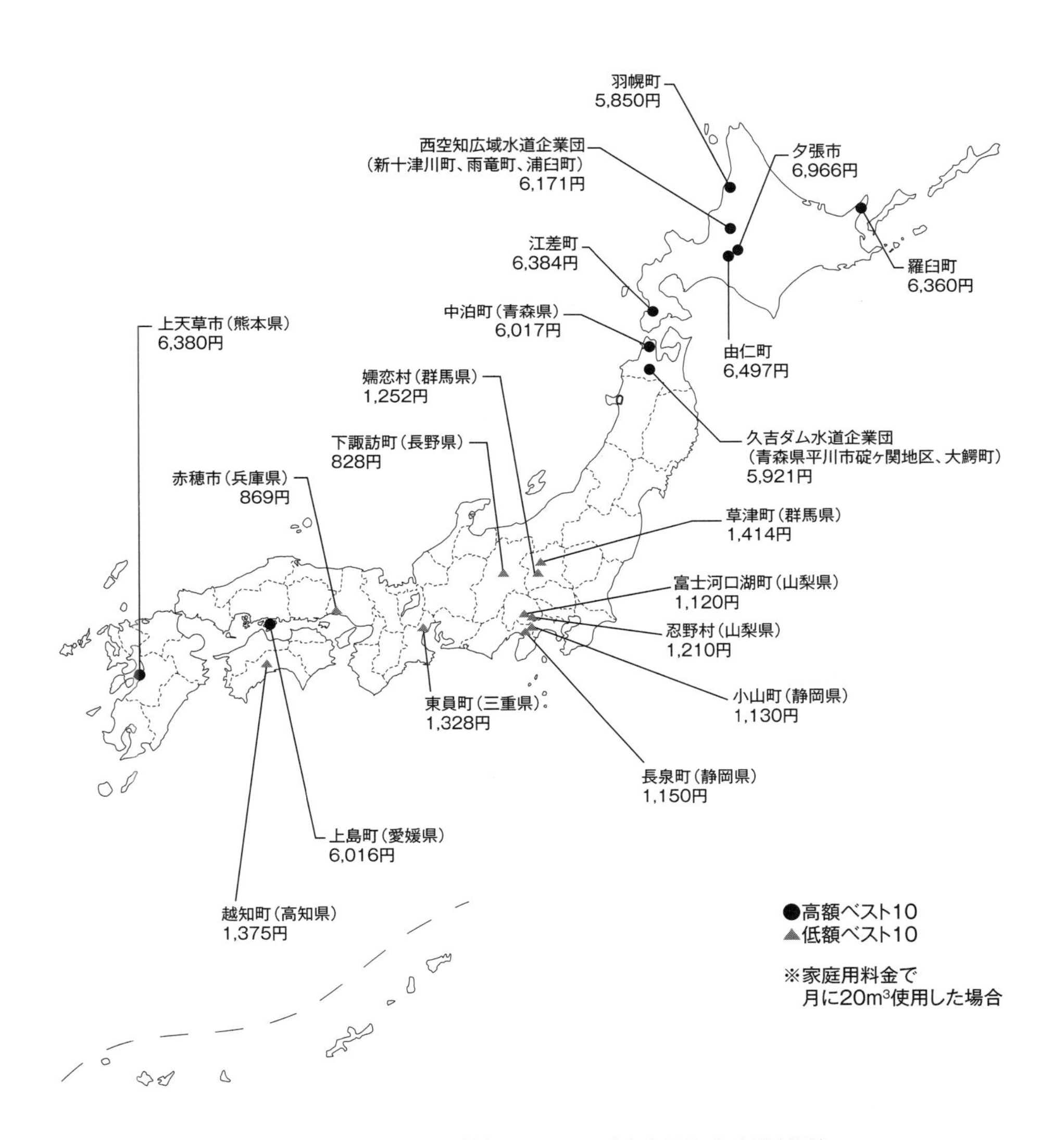

全国水道料金　高額・低額ベスト10（令和元年度水道統計）

農産物の産地とそこから離れた地域で野菜の値段が違うからといって違和感を持ったり、不満を持ったりすることがあるでしょうか？土地の値段が場所によって異なるからといって……。衣食住は生活の基本、当然同じであるべき？残念ながら「衣」は海外から入ってくるので国内では均一化してしまいましたが、「食・住」は環境に従った価格形成が常識になっています。水は天与のもの。恵まれたところとそうでないところがあるのは当然。それが環境であり、地域の多様性を表しているのです。

(2) 水道料金に関する仮想アンケート（利用者に見えている料金レベル）

一般の利用者の方が水道料金をどのように意識しているか、いわゆる利用者目線で考えてみたいと思います。ここでは利用者の方に「水道料金はいくらぐらい払われていますか？」という仮想アンケートを行ったとして、その回答がどのようになるか考えてみます。

仮想回答①「1万円以上」

このようにお答えの方は、2カ月に1回の上下水道料金の総額かと思います。下水道にはメーターがありません。そのため、水道メーターに従って下水道料金を支払うことになります。

徴収の手間を省き料金を下げるため、2カ月に1回のメーター検針で出される金額「2カ月分×2料金（水道料金と下水道使用料）＝4倍の料金」のイメージがこの答えです。

仮想回答②「5000、6000円」

こうお答えの方は、水道料金の2カ月分をイメージしているか、1カ月分の上下水道料金をイメージしているかのいずれかだと思われます。何にしても1カ月分の水道料金としては2倍のイメージになってしまっています。

仮想回答③「3000、4000円」

これが正解なのですが、残念ながら前述のように、その時に支払う額面だけを見ていると必ずしもこの回答にならないところが難しいところです。

回答①も回答②も、実は実質的な料金を安く抑えるための事業者側の努力（水道メーターをチェックする検針作業の省力化や徴収作業の省力化、つまりは経費削減方策）です。残念ながらその努力が、実際と異なる、えらく高い水道料金のイメージを植え付けているとしたら……。努力が裏目に出てしまっています。

細かい話になりますが、2カ月に1回の徴収方式をとれば、引越しの際に水道料金を取りっぱぐれるなどトラブルも多々あり、そういうリスクも含めて、どのような形式がいいか、考えるべき点は多くありそうです。

最も怖い回答は、ここまでなかった「水道料金がどのくらいの金額か知らない」という事態かもしれません。具体的な金額を知らない、それでもおそらく料金改定となれば反対されるかも……。水道事業は、1t近い重さのモノを一軒一軒に毎日届ける宅配事業です。1t運んで200円ほど、これで高い安いと言われるわけですから大変な事業です。

まずはこの料金に関心を持ってもらえる、できれば安いと思ってもらえるように頑張りましょう。モノを買う時、広告を見ませんか?値段の書いてある広告こそが顧客への最大の宣伝材料。それが水道事業にとっては料金表そのものだと思います。

よもやま話❸

日本最初の近代水道：横浜市（1887年、明治20年）

日本の近代水道は、開国並びに海外交易の負の効果、外来水系伝染病対策として始まり、その最初は横浜水道です。横浜水道創設の浄水場（つまりは日本最初の浄水場）は、野毛山浄水場で給水人口7万人、8180㎥/日、緩速ろ過方式で作られています。英国人技師H.S.パーマーが設計したことも有名ですが、その中身も大変なもので、水源を相模川上流でなんと蒸気機関のポンプにより揚水し、44㎞離れた野毛山浄水場まで導水するという今から見ても壮大なものでした。残念ながら関東大震災により壊滅的な被害を受け、現在は配水池として利用されています。ちなみにこの横浜水道ですが当初の事業主体は神奈川県で、1889年の横浜市誕生、1890年の水道条例制定を経て、同年4月に横浜市に移管されています。

水の使用量

（家庭で水はどのようにどのくらい使われている?･原単位は計画の根幹）

■水の使用量・原単位

ここまで、水道とはどういうものか、具体的にどういうサービスをしようとして作られていて、それを支える料金がどのようになっているか、といったところまで来ました。ここではもう一度、利用者目線に戻って、何にどのくらい使っているのか、水の使用実態を考えてみましょう。補講で話した水道料金で避けてしまった使用量の話でもありますし、実はこれを知ることで、皆さんは「水道計画」の基本論の入り口に立とうとしています。

水の使用量は、家族構成や人数、生活パターンなどによっても違うのが当然なのですが、それでも〝普通の使用量〟なるものが知りたくなるのも道理。まずは、この普通の使用量なるものを「原単位」と呼ぶ、ここから始めたいと思います。

〝普通〟の使用量のことを、水道事業、特に水道計画を立てる際には「原単位」と言います。この「原単位」自体は一般名詞で、特に水道用語ではありません。要は、対象とする物量を計測するのに都合のいい「〝単位〟当たり」の量を指す言葉です。

例えば、「光年」……光が1年間に進む距離を〝単位〟とするもの、「坪」……生活感覚に合った2畳分の面積を〝単位〟とするもの、などなど。水道の場合は、１人１日の使用量を「原単位」とするのが普通です。それをどのくらいに設定すると〝普通〟なのか、水道計画の根幹であり、出発点になります。

結論から言うと、純粋に家庭で使う水量は1日で２００～３００ℓ程です。都市域全体として事業（出勤先？）などで使う量も含めて、都市生活・活動に必要な量を1人当たりに換算すると４００～５００ℓぐらいになります。水１㎥（＝１０００ℓ）の重さは１ｔになりますので、こちらに換算すると生活用で０・２～０・３㎥（もしくはｔ、以下同じ）、都市全体で０・４～０・５㎥となります。実際に料金を払う単位は〝世帯〟なので、３、４人家族であれば1日１㎥前後という計算になります。

両親と子ども1、2人という世帯を想定すれば、１カ月の水道料金を考える場合、月20㎥で比較されることが多いのは（４人家族としては少なめかもしれませんが）このためです。

いったいこれだけの量を何に使っているか?東京都の調査の例を紹介すると、風呂、トイレ、炊事で約４分の1ずつ、残りで洗濯とその他。飲む水をすべて水道に頼ってもらったと

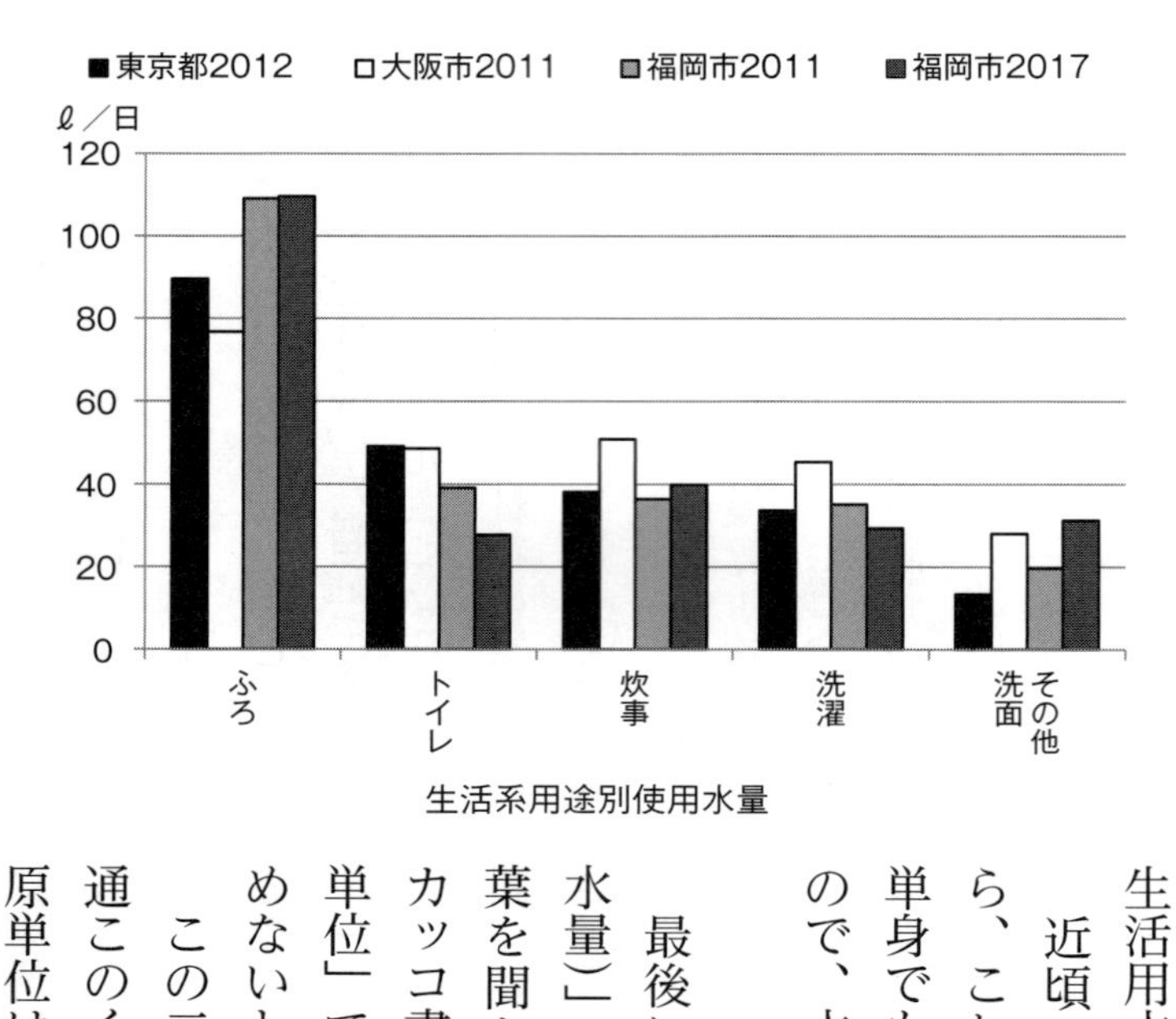

生活系用途別使用水量

してもせいぜい2ℓ、1%程度ですから、水量的には生活用水が圧倒的に多いのです。

近頃の大きなバスタブは200~250ℓですから、これで毎日、長風呂や半身浴などしてもらうと、単身でも4人家族並みの水道料金を払っていただけるので、水道局としては感謝でしょう。

最後に多少細かい話を。「日最大（1人1日最大給水量）」と「日平均（1人1日平均給水量）」なんて言葉を聞かれたことがあるかもしれません。正式にはカッコ書きの表現が適切です。どちらもいわゆる「原単位」ではあるのですが、何にとっての原単位かを決めないと決まらないという話になります。

この二つのうち、調査や検討で設定できるのは〝普通このくらい〟となる「日平均」で水道全体を考える原単位はこちらを指すことが多いと思います。

施設設計となれば、〝足りない〟わけにはいきませんので、日最大が基本。日々の生活、水の使い方を思い浮かべれば、需要者に近い水道システムの末端ほど、大きな変動に見舞われます。結果、配水管網などは、時間最大を基本に設計されることになります。

このあたりは水道計画に直接触れないと分かりにくいところでもありますので深入りはしませんが、日最大、日平均と言っているものが、1人が1日に使う量の最大もしくは平均を言っていること。水道の水量には、家庭とそれ以外の都市生活、都市活動を含めた量があり、それが２００ℓ（０・２㎥、０・２ｔ）、４００ℓ（０・４㎥、０・４ｔ）といった量になること。これぐらいを覚えていただければ今の段階では、十分かと思います。

ぜひとも一度、皆さんの地域の原単位を調べてみてください。もう少し身近なものとして感じられるはずです。

よもやま話❹ 水道管の総延長：約70万km超

70万kmと言われてもすごいのかすごくないのか。70万kmは地球17・5周分です……。分かったような分からないような……。月までの距離の1・8倍……（苦笑）。

「日本国内の道路延長は約１２０万km、（誤解を恐れずにいうと）道路の半分強には水道管が入っている！」という表現が私自身は一番分かった気になりました。もちろん、一つの道路に２本水道管が入った道路もありますし、道路と関係ない箇所の水道管もあるので正確なものではありませんが直感的な理解としてはいい線ではないでしょうか。

第5講 水道計画

(1) 水源量と水道の必然性（自給できない水、後ろに100坪の水源地）

水の使用量まで来たところで、皆さんはいつの間にか水道計画の入り口にまで来ました。また、ここまででなんとなくですが水道に関するかなりの用語は（多少あやしくとも）「聞いたことがある」ぐらいのところまで来ていると思います。ここからは、水道を体系立てて整理していく中で、同時に用語を復習していけば、用語自体も定着していきますし、バラバラだった知識が有機的に結びつき、分かった感も得られてくるはずです。

その第1弾として水道計画を取り上げようと思います。同時にこれを取り上げることで「なぜ、街があり人が集まって住むと水道が必然となるのか？」の解答も得ることができます。

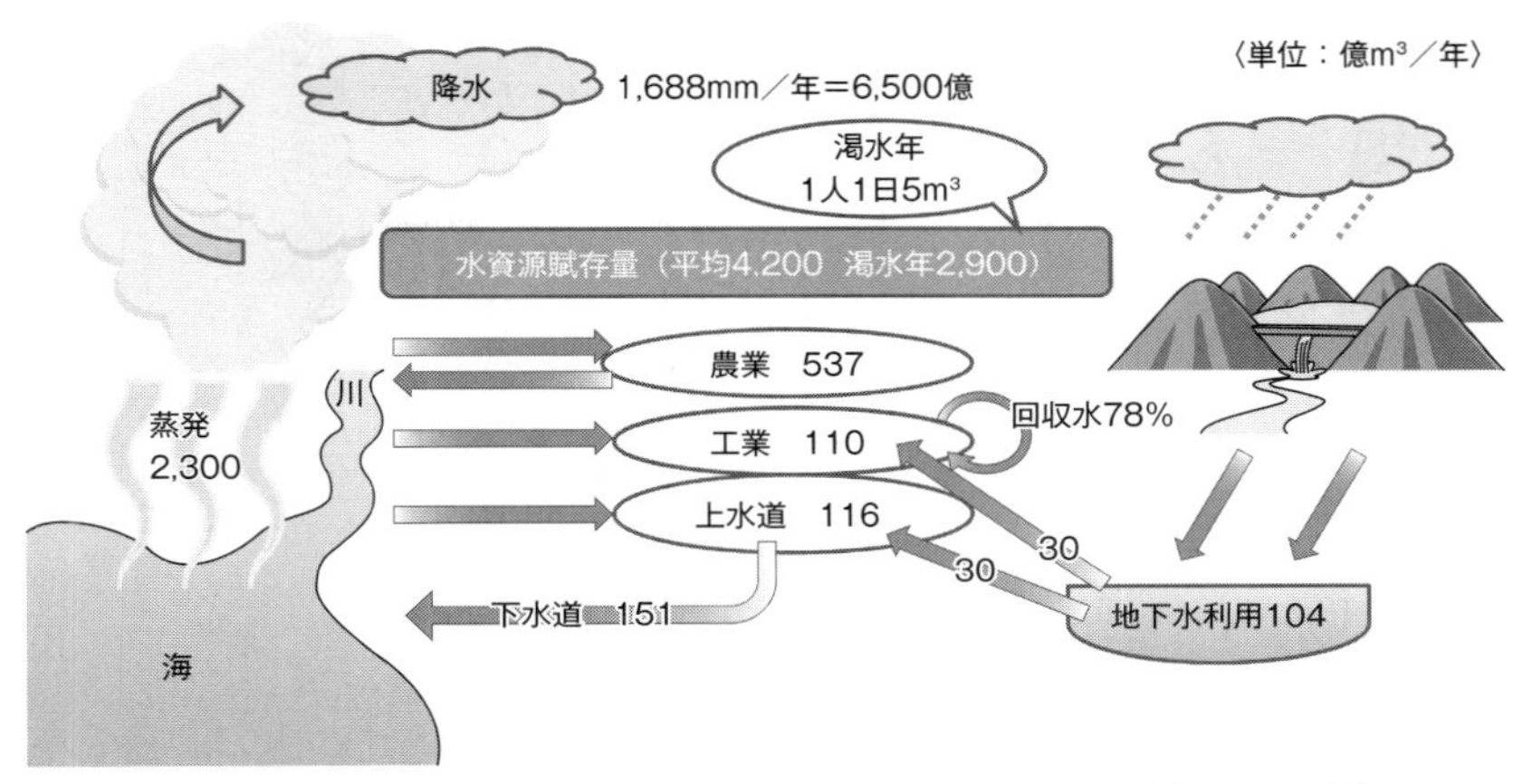

日本の水資源の概念（「令和２年度水循環施策（内閣官房）」より作成）

水は自給できるか？「できそうでできない」が結論です。当たり前のことではありますが、ある一定以上の密度で人間が住むと自給ができなくなります。というわけで水源と需要の関係を考えてみましょう。

日本のような島国では、水は「雨」に頼らざるを得ません。日本の水といっても、元をたどれば（日本の場合は）結局は雨です。日本の平均降水量は年間１６９０㎜といったところ。ここでは、計算が楽なように１５００㎜としましょう（国内でも北日本はこんなものです）。年間降水量１５００㎜ということは、１年間降った雨をその場所で貯めて、蒸発も流出もしないとすると、１・５ｍになるということです。このうち３分の１は蒸発して消えていきます。つまり、使える雨は１０００㎜（１ｍ）ということになります。

１人１日に必要な水量は第４講を思い出してもらって０・２㎥、ということは年間70㎥。降った雨を全部集めたとしても、１㎡の土地に１ｍしかないのですから、1人で70㎡ぐらいの面積が必要だという計算になります。梅雨、台風などの大雨も全部貯めてとなると……ちょっと無理そう……。降った雨の2割を貯めたとしても350㎡になってしまい、これでも結構「ダムが無いとなあ~」という感じです。しかも水を使うのは水道のみにあらず。

ここから先は、地形・気象など地域の状況により様々な設定が必要となりますが、1人で100坪や200坪の『水源地』を持たないと水を得られない計算になります。大都市では1世帯でも確保が難しい面積、いわんや1人！

「自給できない」といったのはこういう理由からです。仮にこれぐらいの面積を自宅に持ったとしても、これだけ降ったり降らなかったり不安定な雨ですから、庭に降った雨を全部集めて、地下に巨大なコンクリートの水タンクを作る……というようなことになりそうです。

現実的には、どこか水があるところから水道で引いてきて……という話になります。ローマ時代から、日本だと江戸時代ぐらいから水道がなんらかの形で存在する理由も分かろうというもの。どんなに狭いワンルームマンションに住もうとも、皆さんの水道の後ろには一人当たり100坪ぐらいの水源地、後背地がどこかにある、これが水道の基盤です。

農業その他の用途を含めて、私の勝手な感覚ですが、歴史経験的にはおよそ人口密度（1㎢当たり）1000人、つまりは1人当たり1000㎡が一つの目安です（現在の首都圏人口密度が１３００人ほど。つまり全体で支えないと東京の水がもたない、といったところです）。一つの流域の人口密度が１０００人を超えると、その流域だけではもうそろそろ人口を支えられなくなり、他の水系からの導水を考えるか、ダム、貯水池など河川の高度利用を考えなければならなくなります。

(2) 水道計画の基本（水源と需要、上下の制約をどうつなぐか）

需要に応じた水源が見つかったとしましょう。それをうまく使って街に水を供給する、そのための施設規模を決めていくのが水道計画です。

日本のように人口密度が高いところであれば、そんなに水源が自由にあるわけではありません。河川状況、ダム計画、また地形・地勢的に恵まれれば地下水を井戸で……それでもどこを掘っても水があるわけでもなく、その街の環境で自ずと水源は限られます。

一方、街の生活に欠かせない水を我慢して……というわけにもいかないでしょう。水道事業の三要素を考えればストレスなく水を出してあげるのが水道事業。それを果たそうとしても、最上流部はそこにある水源に縛られ、末端部は需要でも縛られ……。この上と下の絶対的な制約条件をどうにかつなぎ合わせて対応させるのが水道であり、水道計画ということになります。

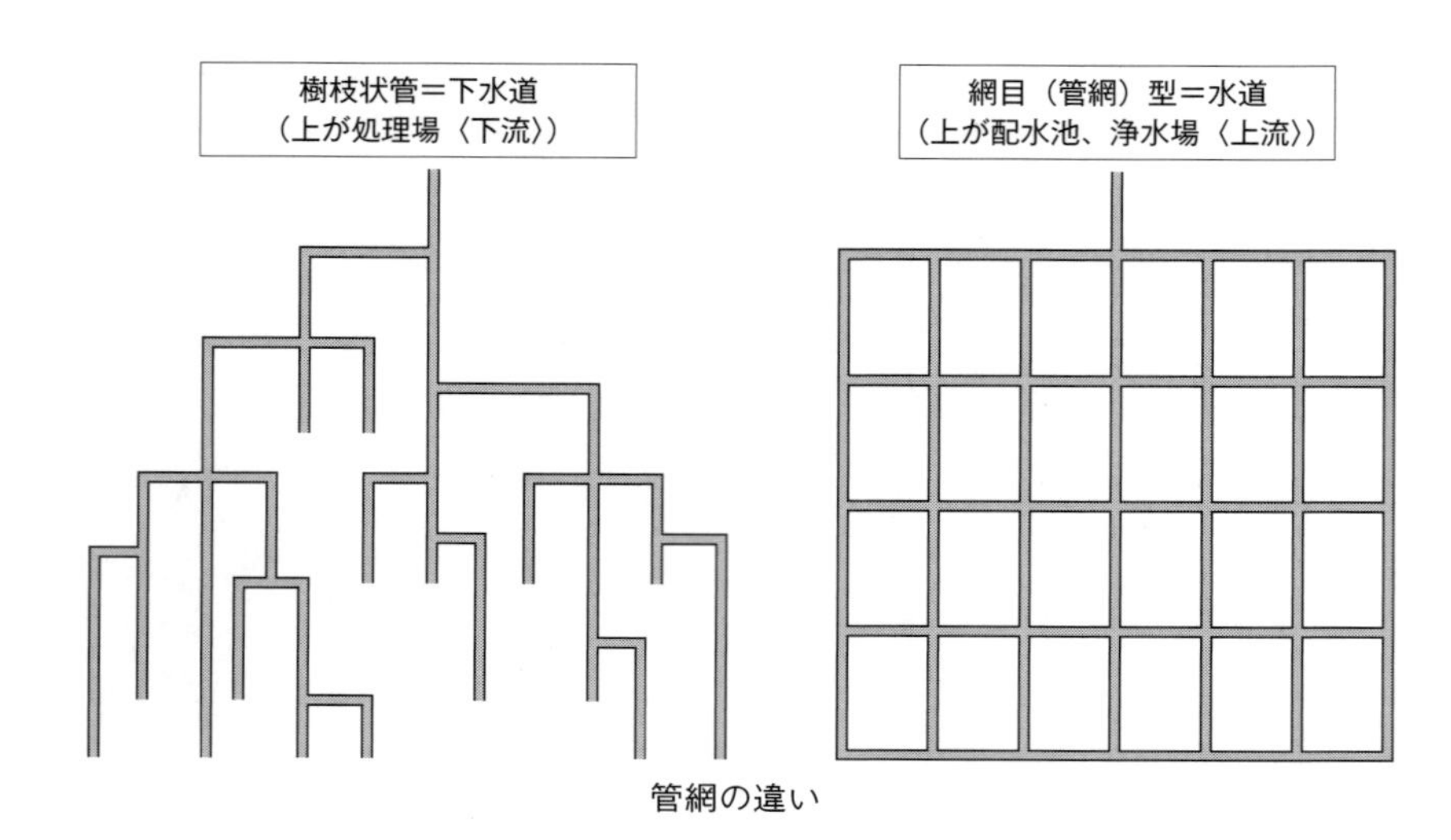

管網の違い

水源から取れる水というのは、河川水であれば、普通、毎秒何㎥という秒単位で上限が決められます。さて、生活している人がいつも一定量を蛇口から出して……くれるはずもありません。朝と夕方に集中して水を使うというのが人の生活です。その変動を吸収する機能も水道施設側で持たざるを得ないということになります。水源から街まで管がつながっているのは当然のこと、その間には水を貯めて変動を吸収する「配水池」が否が応でも必要になります（もう一つは飲める水にする浄水機能ですが、これは水質とか浄水処理といったところで扱いますので、ここでは〝質〟の話は忘れて〝量〟の話だけで進めます）。

もちろん、管の太さ（管径）によってそもそも送ることができる水量が決まるので、水道計画の話の中では何㎜管だの何㎥だのという言葉が飛び交うことになりますが、管と貯水池の大きさが水道計画の基本になることが理解できるのではないかと思います。水道管の口径は大都市の大きいものでもせいぜい上限2ｍ（２０００㎜）くらい。１０００㎜を超えれば相当の巨大管で、普通の事業であれば、あっても、水源から浄水場までの導水管か、浄水場直下の送水管ぐらいです。

家の前の道路にある配水管は１００㎜前後といったところ。家庭に引き込まれる給水管は最小13㎜、この頃は新設でこの13㎜管を使うことがなくなってきていて、20㎜か25㎜を使うのが普通です。このくらいあれば普通の生活で困ることがないのは経験則です。

ちなみに水道管は、末端では管網の形態をとることを基本としています。枝分かれしていく樹枝状の管路でなく、網目状の管網、いわゆるネットワーク型です（言っていることが重複していることは自覚していますが、この方が分かりやすいかと）。この個々の需要点（家庭）に対して右からでも左からでも水が供給されるようになっています。このような形態は、上流側はきちんと出るけど、下流側はあまり出ないという不都合を解消するためというのもありますし、一方が切れても他方側から水が届くということもあってのことです（実際はそう単純ではありませんが、そういう設計思想でできていることも確か。この先を知りたい方は、身近な送配水の担当者にでも聞いてみましょう）。

水道計画や水道施設の配置の話をしていると「自然流下」という言葉を聞くことも多いかと思います。自然流下の対義語は、業界用語的には「ポンプアップ」といったところでしょう。ここまでの文脈には入れにくかったのですが、ここで簡単に説明しておきます。とにかく〝水は重たい〟というのがこの手の議論の根底にあります。わずか1ℓで1kg、スーパーで水を買うと重たい……と実感することも多いと思います。もう一つ考慮すべきは、使う量が圧倒的に多い（既に1世帯で1日1tなんて話をしましたが、バスタブ1杯分でこの頃だと200kg以上にもなります）。よく浄水場の処理容量や配水量を表現するとき、〝m³〟というのが長くて面倒でよく〝t（トン）〟の単位を使うのも、この体積と重量の変換を行っていることになります。何千tだの何万tだのという重量物はおおよそ動かせるような重量ではありません。重いということは落差があれば勝手に動くということ。これをうまく活用するのが「自然流下」とか「自然流下方式」とかいうものです。これをいかにうまく利用するかが水道計画の巧拙を決める一番大きな要素です。このため、水道計画の話では、「自然流下」という言葉がキーワードとなることがよくあります。水道を見る場合、どこがポンプ圧送（ポンプアップ）で、どこが自然流下かを見るだけで、その中身と苦労が分かってきます。

かなり乱暴ではありますが、水源と需要対応、そのための管路と配水地ということだけをもって水道計画の基本とさせてもらいます。ただ、これだけでも水道計画で話していることの理解は格段に進むはずです。

よもやま話5

日本一の長距離導水：愛知用水100km超

日本の長距離導水の始まりであり、現在でも日本一の長さだと思います。木曽川から112km（幹線部）を導水、知多半島の先端に達します。

愛知用水は、戦後の食糧増産を主目的として建設したもので、世界銀行の融資も受けています。日本は今でこそODA大国ですが、戦後の窮乏期に世界銀行の融資により復興を支えてもらったことは知られてもいいことのように思います。

現在の愛知用水は、二期工事により増量、二連化された第二世代のものです。この中で水道の供用区間は70kmですので本来のタイトルはこちらであるべきかもしれません。また、知多半島半ばにある知多浄水場（愛知県）は水源を愛知用水から長良川河口堰に切り替えていて、知多半島の先端部は木曽川・愛知用水でなく、長良川の水を飲んでいます。

水道が関係する有名な導水事業としては、武蔵水路（利根川・荒川の連結）15km、福岡導水（筑後川から福岡都市圏）25km、香川用水（吉野川から香川県）74km（水道供用区間（東幹線）は43km）などがあり、ちょっと珍しいものだと、柳井広域水道企業団という3万m³／s程の小規模な用水供給事業ですが31・5kmを導水するというものがあります。

一方、海外では、アメリカ・カリフォルニア州にはカリフォルニア導水路と呼ばれる北部水源をロサンゼルスに導水するものがあり、延長710kmと言われています。世界はスケールが違います。

第6講 水道経営

（地方公共団体による独立会計、企業会計の典型例）

■料金による事業・水道事業経営

すでに皆さんの中には、かなりの内容が積み重なってきています。水道料金も扱ったので、ここでは、このお金と事業をつなげてみます。水道料金を原資、元手として、水道事業を実施する経営の話です。

これまでお話ししてきた内容を前提にしますので、今回の内容が抵抗なく入ってくれれば、これまでの知識は定着していると思います。「あれっ何だったっけ？」と思うことがあれば、ここまでの内容を振り返りましょう。事業経営は、お金だけを追っても、その具体の事業活動が分からない限り絶対に理解できません。水道事業が巨大施設を運用する施設依存の事業だからなおさらです。

まずは、全国の水道事業の平均像で話を進めます。

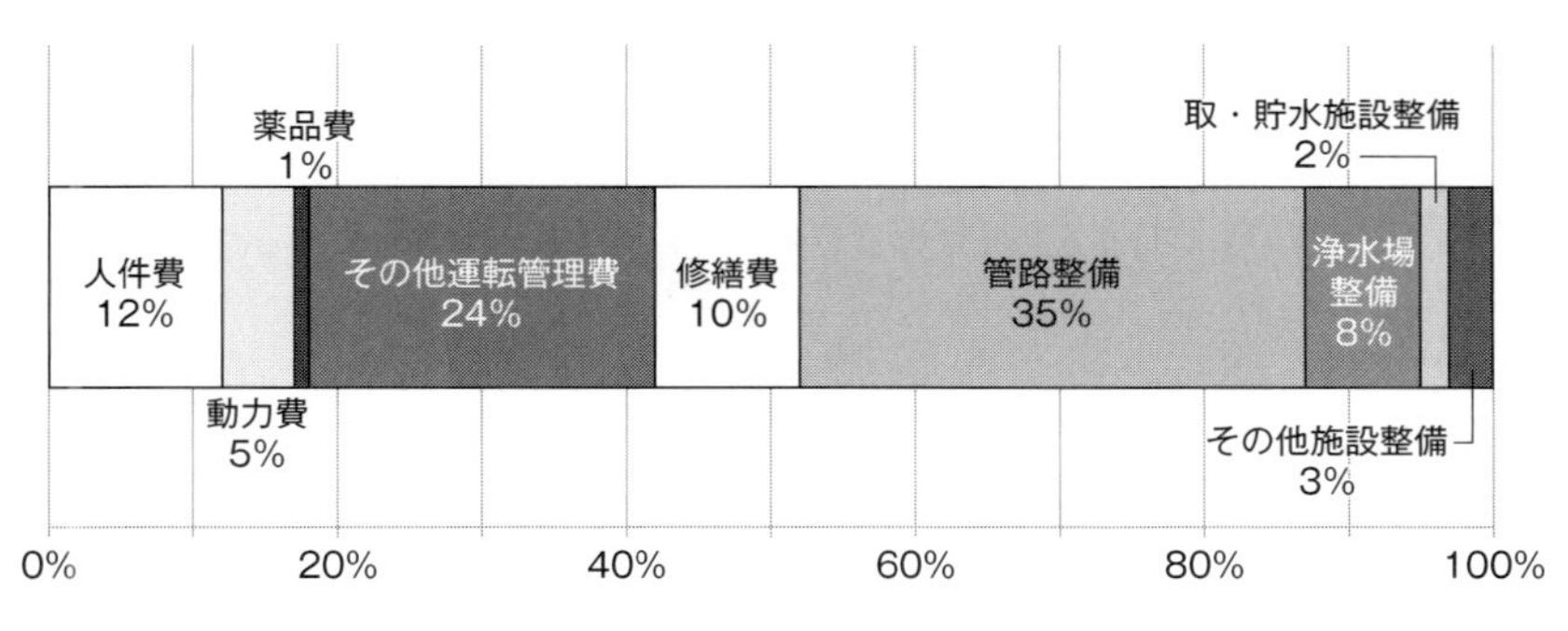

水道事業の費用構成（「水道統計 令和元年度版（日本水道協会）」より作成）

日本の水道事業は『約2兆5000億円の収入・支出』で実施しています。その経費の半分弱は施設整備、つまり新設・補修・更新など、施設そのものにかかる費用です。残り半分強が人件費を含めた運転管理費で、人件費は全経費の15%程です。約半分を占める施設整備のうち、約3分の2は管路の整備費用です。

まとめると、全費用の3割が管路整備、2割がその他の施設整備、1割5分が人件費、残り3割5分が電気代、薬品代、その他維持・運転管理費用ということになります。

お話しした通り〝全国平均像〟の話ですので、自らの事業と比べてみると、平均像に近い事業か、そこから多少異なる性格の事業かも知ることができます。

毎年の事業報告書、その中にある財務諸表を見ると……残念ながらこんなに分かりやすい（単純な）形にはなっていません。減価償却費、起債、元利償還……よく分からない言葉が並んでいるはずです。逆に言うと、事業報告書や財務諸表は、情報公開の義務を果たしてはいても、一般向け・利用者向けの広報にはまったく無力だということも理解できると思います。

　これら費用の原資は、９割以上が水道料金です。残りは、国庫補助金や一般会計からの繰入れなどによる外部からの補填です。

　水道事業は独立会計をとり、水道料金をその基本にすることとなっています。名実ともにそれを実現している、稀な事業です。

　地方公共団体の一般会計は、税収を基本としていますが、地方公共団体が実施する事業の中で独自財源（水道事業の場合は水道料金）を持つものには単独で予算・決算など会計処理を行うものもあり、その典型例がこの水道事業です。

　料金収入を基本とした事業経営を「受益者負担の原則」と言い、この収支を一般会計から独立して扱うことから「独立会計（制）」と言います。

　今の段階では、水道料金を基本とした事業経営を一般会計予算・決算から独立して行うことを、このように表現すると理解していただければ十分かと思います。水道事業については、地方公営企業という、民間企業に準じた企業会計が義務づけられていて、特別会計の中でもさらに特別な存在と言えます。ここでは、これに関しては深追いしません。その内容はこの本を卒業した後のものとして、「企業会計、地方公営企業といった言葉がある」にとどめたいと思います。

　似たような言葉で「市町村経営の原則」なんてものもあります。これは水道事業が住民への直接サービスであることから、国や都道府県といった広域行政でなく「基礎的自治体（まさに住民直接サービスを担う自治体をこう呼びます）である市町村が行うことを原則とする」ことで、水道法に規定されています。

事業経営と呼ばれる分野の中で、ここに出てきた言葉ぐらいを知っておけば「そもそも何を言っているのか分からない」という状況は避けられるはずです。それでも分からない？その通りだと思いますが、その〝分からなさ〟には、度合いと、「何が分からないか」という〝具体性〟がついたはずです。それだけでも、水道初心者を卒業しつつあると思ってもらって結構です。

よもやま話 6

日本最初のコンクリートダム：布引五本松ダム（神戸市）

日本で最初に作られたコンクリートダムは、神戸市の布引五本松ダムで、水道専用として1900年に竣工しました。現在のものは2004年度に耐震改修をしたものになります。神戸市街地もそうですが、神戸港の船舶に積まれていたのもこの水です。NHKの「ブラタモリ」でも紹介されたので見られた方もいるかも。このダム、神戸中心市街から非常に近いダムで、新神戸駅から1㎞ちょっと。15分ほどで歩いて行けます。ちょっと神戸で時間が余ったら、ぜひ立ち寄ってみてはいかがでしょう。ただし相当な山道なのでお気をつけあれ。

ちなみに日本最初の水道専用ダムは、本河内高部ダム（1891年）という長崎のダムです。

第7講

水道事業の人員体制

初心者編も最後に近づいてきました。最後に人と組織体制を挙げさせてもらいます。事業を進める3大要素、事業・経営を支える3大資本は『人材、資金、施設資産』。「ヒト、モノ、カネ」、これがないと始まりません。既に水道というモノ、料金や経営というカネの話が終わり、最後の一つ、ヒトになります。

最初に出てくる「ヒト、人材」でありながら、ここまで全く触れてきませんでした。まさに遅れればせながらなのですが、それはそれなりの理由がありまして……。言い訳しますと、水道が何をやっているか分からない状態で、いきなりそれを支えるヒトの話をしても分かりません。「まずは人」と言いながら最後になるのが常。それが人員体制の話です。

地方公共団体で水道事業に携わる人は5万人弱。そんなこと言われても分からない？おっしゃる通りです。それでは『人口10万人当たり40人』でどうでしょう。１９８０年頃は7万人を超していましたから、『人口10万人当たり65人』。ですから今は大変な時代です。数字の

令和元年度　職員体制

総計	技術系	事務系	技能職等	その他
47,067	23,394	16,496	2,715	4,462

遊びですが、水道事業者の職員1人で支える人の数が、『35年間で1500人から2500人』へ急増しているわけです。施設的に完成形になっているとはいえ、年々責務が大きくなっています。自らの事業の職員数をこれと比較してみると……多い、少ないは事業の中身次第ではありますが、比較の目安にはなりそうです。

その中身を全国で見ると、事務系、技術系の職員比が2対3、注目すべきは年齢構成で50歳以上が3分の1となっています。日本全体の年齢構成を反映しているようなところもあるので、いかんともし難いですが、今後5年から10年の間に熟練者が大量に退職する（既にし始めている）といった状況にあります。再雇用など就労環境の検討・整備も必要でしょうが、所詮当面の措置といったところでしょう。中長期的には「技術承継」、これは狭義の意味での施設整備・運用という意味でなく、事務・経営も含めて広義の技術承継を考えていく必要があろうかと思います（なかなか初心者のみなさんには実感しにくい話とは思いますが、折々分かってくることかと思います）。

このような人員体制の現状と推移を見てくると、危機管理体制の確保が大きな課題になることも見えてくるかと思います。

平時であれば具体の事業運営があるので、外部委託（アウトソーシング）も含め、何らかの体制確保をせざるを得ません。しかし、これだけ直営職員数が減少してくると、災害時などの体制確保は、平時では見えにくいだけに大変です。

各種の応援協定がありますが、全国の絶対数が大きく減少していることを意識する必要があろうかと思います。協定をいくら結んでも、助ける余力が周りにあるかどうかは別問題です。

実質的に、何かあった時に自分の事業を最低限守りながら、どの程度の人員を確保し得るのか。地域単位、都道府県単位ぐらいでは考えておく必要があるように思います。

これにて初心者編を終わらせてもらいます。続けて初級編へと続きますが、小学校の学習内容の中心的な内容でありながら、浄水処理と浄水場については、初級編に回します。内容的に急速ろ過に特化していて、他の内容に比べ極端に詳しいことがその理由です。先に小学校の学習内容を網羅したい方は、間を飛ばして第2部の第8講水道水質と浄水処理を読んでもらえれば、小学校の学習課題はほぼ完了です。

第2部

初級編

水道水質と浄水処理

■水道を歴史でひも解く

さて、ここまでの話にまだあれが出てこない！初心者用とは言いつつも読んでこられた中級以上の方は特にそう思われるのではないでしょうか。あれとは浄水場、浄水処理と水質です。水道を水道たらしめているものは『飲み水の供給』であり、そのための浄水処理は水道を最も特徴づけるものです。水道の見学、見に行くところといえば……やはり浄水場ということになります。一方で地下水を水源とするような水道であれば、いわゆる浄水場と言われるものがない水道もあります。水道が最も特徴的・象徴的な施設でありながらそれがない水道がある！これが浄水処理の位置づけを端的に表しています。他分野で聞くことがない浄水と水質を見て、水道全体を見直してみましょう。

浄水処理、これは水道の歴史をひも解けば、後に付加される機能で、「水道」という字義の通

水道の略史年表

年代	キーワード	解説
江戸時代前	上水・水道の起こり	小田原早川上水（日本で上水・水道と名のつくものの最初）完成（1545年） 最初の飲用専用水道である神田上水完成（1590年）
江戸時代	上水・水道の普及	江戸時代中期以降の江戸（人口約百万人）の水道普及５割と言われる
明治期	衛生上悪疫の流行の予防	水道布設の目的は衛生上なかんずく悪疫の流行の予防（明治20年閣議、明治23年水道条例）
戦前	港湾都市・大都市での普及	普及率35％
戦後	清浄、豊富、低廉	清浄にして豊富、低廉な水の供給（昭和32年水道法）
高度成長期	普及促進	1960年普及率50％を超える 1970年普及率80％を超える
昭和末期	高普及期	【高普及時代を迎えた水道行政】（昭和59年審議会答申） ・ライフラインの確保（生活用水確保唯一の手段） ・安心して飲用できる水の供給 ・おいしい水の供給 ・料金格差の是正
平成16年	安心、安定、持続と環境、国際	【水道ビジョン】 ・安心、快適な給水の確保 ・災害対策等の充実、 ・水道の運営基盤強化、技術継承、需用者ニーズ対応　等
平成24年	安全・強靭・持続 連携と挑戦	【新水道ビジョン】 地域とともに、信頼を未来につなぐ日本の水道
平成30年	基盤強化（水道法改正）	水道基盤強化計画等

り、『水を管路で輸送すること』が水道の定義であり、初期形態です。都市化と衛生問題から、また、海外交易（江戸時代の鎖国解除）により、外来疾病として上陸した水系伝染病、コレラ、赤痢等の対応として浄水処理がなされることとなります。日本の場合、「近代水道」が外来水系伝染病対策として作られたため、浄水処理は、「有圧給水」とともに、近代水道の必須要素です。

浄水処理の基本は、よごれ（きょう雑物）を〝こし取る〟ことです。それを「ろ過処理」と言い、大きく二通りの方式があります。それが、日本の近代水道創成期（19世紀）に導入された、英国で発明された浄水技術「緩速ろ過処理」と、その後、20世紀以降に米国で発明・実用化された「急速ろ過処理」ということになります。

前者の緩速ろ過処理は、砂のろ過池（要は砂場）表面に自然発生する微生物の処理能力による処理方法で、1日の処理能力（通過させられる水の水深で表現して）が4～5mというもので、ろ過速度が小さいことからこの名があります。

後者の急速ろ過処理は、水源水質悪化に伴い、頻発するろ過閉塞（目詰まり）への対応策として開発されたものです。凝集剤（ぎょうしゅうざい）と呼ばれる薬品を注入して沈澱処理を行った後に、ろ過処理を行うもので、1日の処理能力が120～150mと、高いろ過速度を得られることからこの名があります。

日本では、凝集剤としてはアルミニウムを用いるのが一般的で、硫酸アルミニウム、業界用語としては「硫酸バンド」か、ポリ塩化アルミニウム、業界用語としては、英語名ポリアルミニウムクロライドの頭文字をとってPAC（パック）が使われています（処理の原理自体は、中学理科・高校化学のコロイド溶液の時に行う実験、凝析（ぎょうせき）・塩析（えんせき）の反応ですので、そんなに特殊な原理ではありません）。

このような原水中のきょう雑物を除去する処理に塩素処理による殺菌、消毒を行った上で飲み水となるわけです。

地下水のように、基本的に（きょう雑物が自然にこし取られて）清澄・良好な原水については、このようなろ過処理をとらず、塩素処理のみという水道もあります。塩素処理だけは、最低限の衛生措置、衛生管理手法として水道法上義務づけられている処理です。

地下水のようなきれいな水源であれば浄水処理が不要というところがポイントです。水道に求められるのは水質管理であって、必ずしも浄水処理ではない。これが最初に言った「象徴的でありながら必ずしも必須でない浄水処理の位置づけ」の中身です。仮に浄水場と浄水処理がある水道であっても、この意味は変わらず、「水道水の水質管理は、良好な水源の選択と浄水処理によってなる」ということになるわけです。

逆に言うと、残念ながら浄水処理だけでは水質は守ることができません。水道の浄水処理といっても、処理不能なものはあります。通常の水源状態を前提に浄水場が設計されていて、〝通常状態の水源〟を維持すること、それを確認することは、水質管理の非常に大きな要素であることを忘れないでいただきたいと思います。

■高校化学の復習（一部、中学理科）

浄水処理方式は、かなり技術的で、特に文系・事務系の方は敬遠しがちかもしれませんが、そうは言わせません（笑）。というのも、小学校ではきちんと急速ろ過システムを教えているからです。一方で、緩速ろ過システムはまったく触れられていません。タネ明かしをすると、小学校の社会は、あまり検定教科書を使わず、地域の実情に合わせた副読本を中心に授業を進めることになっていて、地域の水道の処理方式、水源状況などを踏まえたものが準備され、それに合わせた学習プログラムとなっているはずなのです。それはそれとして、これぐらいの内容は小学校で教えていい、教えるべき、とされて急速ろ過システムの説明がされているわけですから、皆さんも勉強しておきましょう。ということで、ここで書いたことも含めて、小学校における浄水場の勉強内容をもう一度まとめておきます。

現在、通常の浄水処理と言われるものは急速ろ過システムという処理方式です。河川水を原水とする（河川を水源とする）場合で、敷地を小さくしたい場合には必然的にこのシステムになります。

急速ろ過システムは、いくつかの「単位プロセス」が組み合わされて「全体システム」を構成しています。水の流れに従って追っていくと、

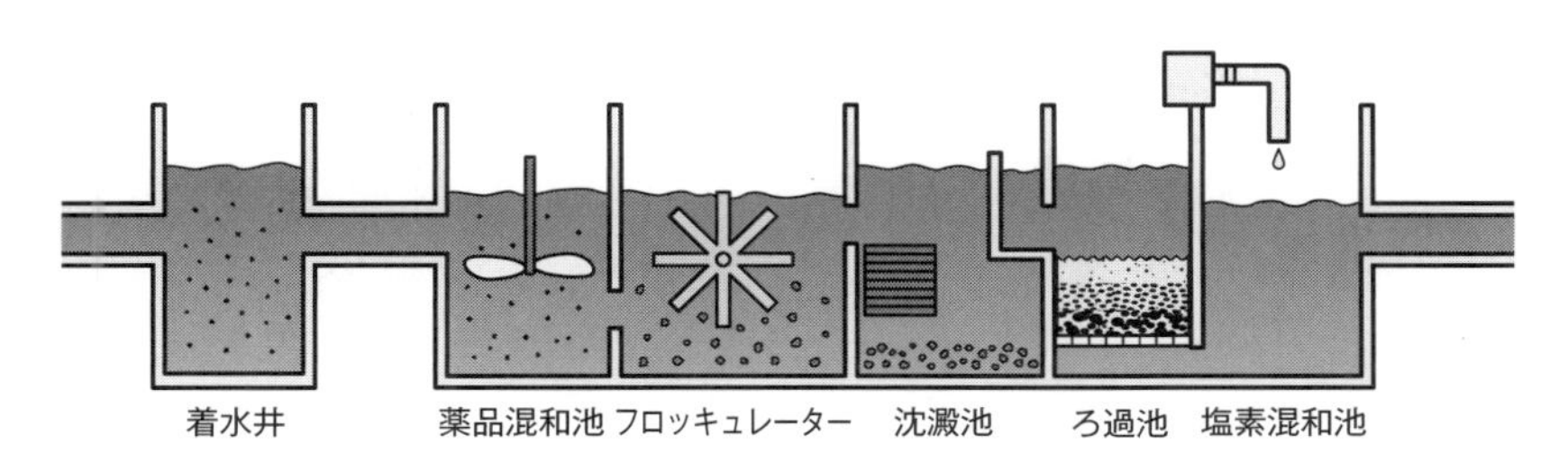

急速ろ過池模式図

①取水口

河川などから原水を取り入れる施設です。河川の状況によっては（流量が少ないなど）取水堰という堰を設けて水を溜め、安定的な水位を保つようにしています。取水堰の有無は状況によりけりですが、取水口は何らかの形で存在します。

②沈砂池

河川水のように砂や土が水に混じって入ってくるような場合、前処理として沈砂池を設けておいて、ここで沈めてしまいます。

③取水ポンプ

沈砂池を通った水を浄水場に送るためのポンプを言いますが、これも浄水場の立地条件などにより有無はあります。

④薬品混和池

凝集剤を入れてそれを水全体に行きわたらせる、その結果として水の中の濁質を固めてフロックと呼ばれる塊に育てるための前段階のプロセスです。

濁質（汚れ）の大きいものは勝手に沈む。微細なものは、溶解するでもなし、沈むでもなしの状態。これは、濁質マイナスの電気を持って反発しあった「コロイド状態」で安定しているから。

そこにプラスの電気をもつ凝集剤を添加、混ぜ合わせる（撹拌する）と、これらが引き合って大きな固まり（フロック）となって沈降させることができる。この固まる作用を“凝集”といい、これが急速ろ過処理システムの中心的な原理となっている。

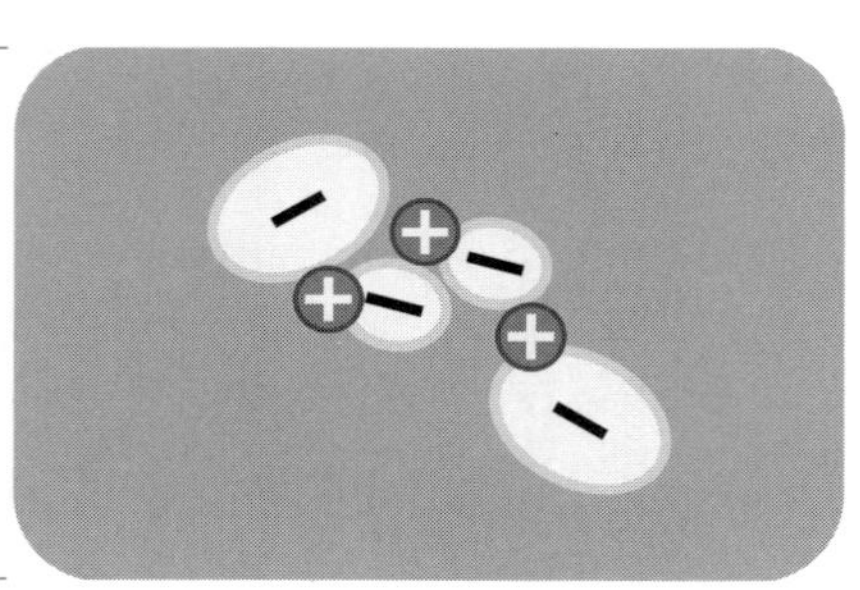

凝集現象の図解

⑤フロッキュレーター

まずは、フロッキュレーター（フロック形成池）で起こっている現象、「凝集」から入りたいと思います。

中高生の時、理科または化学で習ったコロイド溶液の凝析・塩析反応の塩析に当たる現象を浄水処理では凝集処理と言います。コロイド溶液というのは、完全に水に溶けている水溶液状態と溶けないものが混ざっている混合液状態の間の状態のことを言います。このコロイド溶液は、澄んでないので溶けているわけではないのですが、すぐに分離して浮上したり、沈降したりするわけでもないという中途半端な状態のことで、身近なものだと牛乳などの乳化状態を思い浮かべてもらえればいいかと思います。

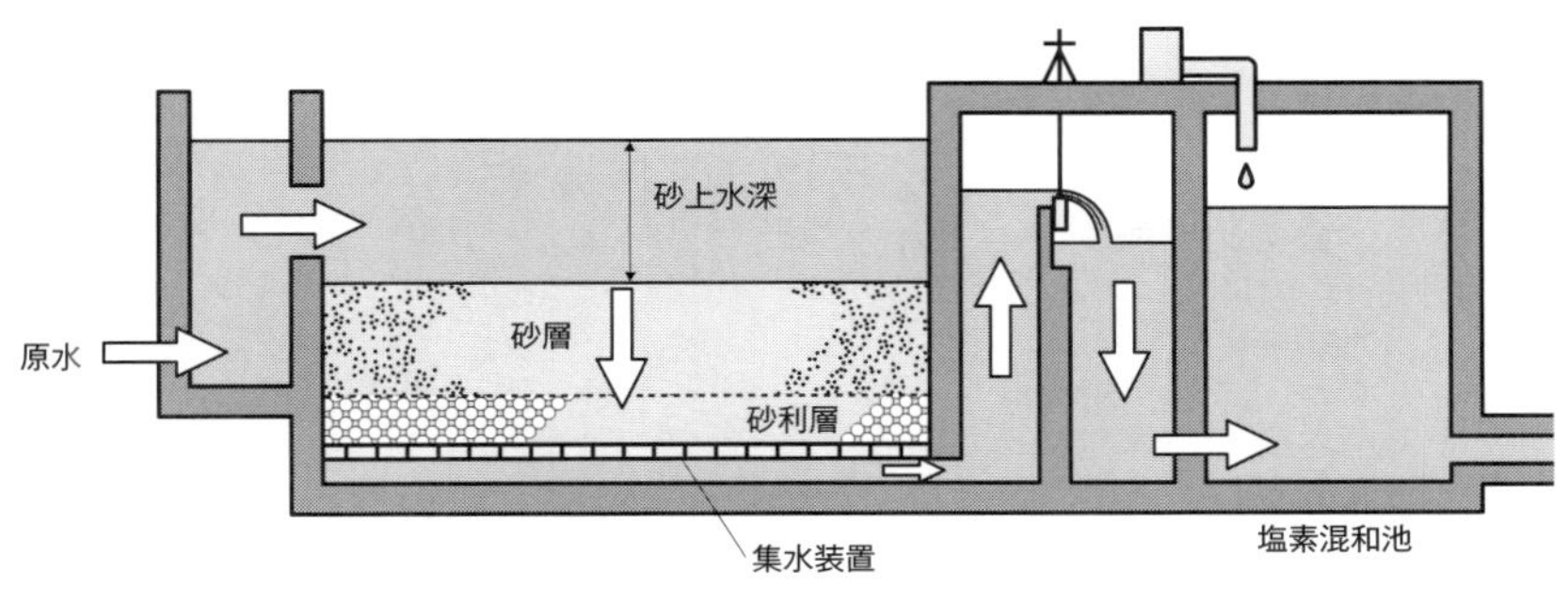

緩速ろ過池模式図

コロイド溶液の特殊な現象として、ブラウン運動とかチンダル現象とかを習っていますが、覚えていますでしょうか？こちらを詳しく解説すると本題からずれるので、省略して、凝析・塩析だけを説明しておきます。

コロイド溶液を混合液状態にする手法として、電解質を投入する、というものがあります。コロイドというのは微小な電気を帯びていて、お互い反発しあった結果として分離せずに水の中に安定的に漂っている状態です。反対の電気を帯びているものを投入すると反発力が相殺されコロイド状態が破壊されることになります。水の中の濁質のコロイドはマイナス荷電なので、プラスの荷電の電解質を入れることになります。この時にちょっとした特性があって、量を入れるより荷電が1大きいもの（＋1より＋2、＋2より＋3）を入れるほうが5～10倍ぐらいコロイド破壊の効率がいいということがあります。この電解質が浄水処理でいう凝集剤になります。一般的に使われる凝集剤がなぜアルミニウムかという理由がここにあります。普通に手に入ってそんなに高くない元素で3価のプラス荷電というとアルミニウムになることから、凝集材というとアルミが多く使われています（鉄もあるじゃない！ご名答です。鉄凝集剤というのもあります。ただ、鉄の場合、うまく制御しないと2価になって赤茶の色を水につける可能性があるため嫌われる傾向があり、あまり普及していないのが現状です）。

これが、処理プロセスとしてのフロッキュレーターです。

機能の説明はありますが、どの教科書にも名前が出てこないのがこれです。ここまでが急速撹拌池で、凝集剤と濁質がくっついた小さなフロックを沈降しやすいような大きさまでフロック同士をぶつけて育てていくのがこのフロッキュレーターになります。

⑥沈澱池

フロッキュレーターで成長し、大きなフロックとなった濁質を沈澱させるプロセスです。

⑦急速ろ過池

一般的には砂を充填した槽でろ過を行うプロセスです。沈澱池までで大部分の濁質は既に除去済みですので、残ったフロックを除去するもので、これが最終プロセスになります。

⑧塩素混和池

これも機能の説明はありますが名前が出てこないものです。塩素を注入して消毒を行うプロセスです。

⑨浄水池

飲用可能となった水道水を一旦貯めておく池です。その後に送水ポンプにより送水管を通って配水池に送られます。

浄水場内の管理を行っている場所は、各地でいろいろな呼び方があると思いますが、教科書では「中央管理室」とか「中央制御室」と紹介されています。

よもやま話7

日本最大の浄水場：村野浄水場（大阪広域水道企業団）180万m³／日

日本最大の浄水場は、大阪府営水道から移管された大阪広域水道企業団の村野浄水場です。水道関係者の中では、その浄水容量よりもむしろ、ビル中にすべて取り込んだ、別名：階層浄水場としてのほうが有名かもしれません。村野浄水場自体は、平面系と呼ばれる通常の浄水場配置の系列（昭和38年通水）と階層系と呼ばれるもの（昭和52年通水）と二系列の浄水系を持ち、合わせて180万m³／日の施設能力を誇ります。階層系は、浄水容量拡張の際、敷地確保ができず止むに止まれずこの方式をとることになっています。設計段階から後の高度浄水の追加を予定（平成6年通水）して、地上31m、地下15mの建築物二連からなる立体浄水場となったもので、世界にも類を見ないものです。

ちなみに、私が知っているもので大きいのは、タイ・バンコクのバンケン浄水場は400万tの規模、日本最大の2倍以上です。

送配水と水量・水質

■送配水の基本

水道が『管路を中心とした施設の総体』というのは何度も出てきました。管路も何と何をつなぐか、その機能によって、導・送・配・給水管と様々な名前があることも何度も出てきています。ここでは管路とそれによる水輸送の話を、水量・水質と合わせて見てみましょう。と言いつつ、送配水と書いているのはなぜか？給水管が個人の財産で、お家(うち)の都合によるものなので外れるのはまだ分かると思いますが、導水管が外れるのはなぜ？そのあたりから行きましょう。

◆

導水を別扱いする理由の一つは、浄水前のいわば〝原水〟であって〝水道水〟になる前。それ故、必ずしも圧力輸送（パイプ）ではなく、水面のある開水路であることも多いということがあります。これも分かりやすいのですが、それより水道計画の観点から見れば決定的なことが一つあります。

浄水場までの導水は、基本的には浄水場までの最短距離を結びたいという計画的な意味のもので、そんなに自由度のあるものではないのです。直線的な導水ができていないとすると、社会的、地理的な条件などが影響していることが多く、その場所ならではの理由ということです。そういう意味では、水道の歴史を勉強してみる時の切り口に、街の歴史を見るのも面白いかと思います。

また、ポンプ技術や電気エネルギーが今ほど簡単に使えなかった時代、江戸時代はもとより、少なくとも明治期の計画においては「いかに自然勾配をうまく使うか」が第一優先課題で、各所の歴史ある水道を見ると、土木工事的には大変なトンネル（隧道）を意外と採用しています。今考えても大規模な事業ですが、逆に言うと、いかに（ポンプと）電気エネルギーが貴重だったかが分かります。

というわけで、水道の中で工夫できる、水道ならではの面白さがあるのは、本題の『送配水』です。送配水は浄水場で飲み水としての水質を確保した水道水（上水）を家庭まで送り届けるプロセスです。最終的に家庭に届いた時点でも、水質基準が確保され、残留塩素を保持し、一定以上の水圧と水量がきちんと出る。これを確保するのが送配水プロセスであり、その運転管理ということになります。

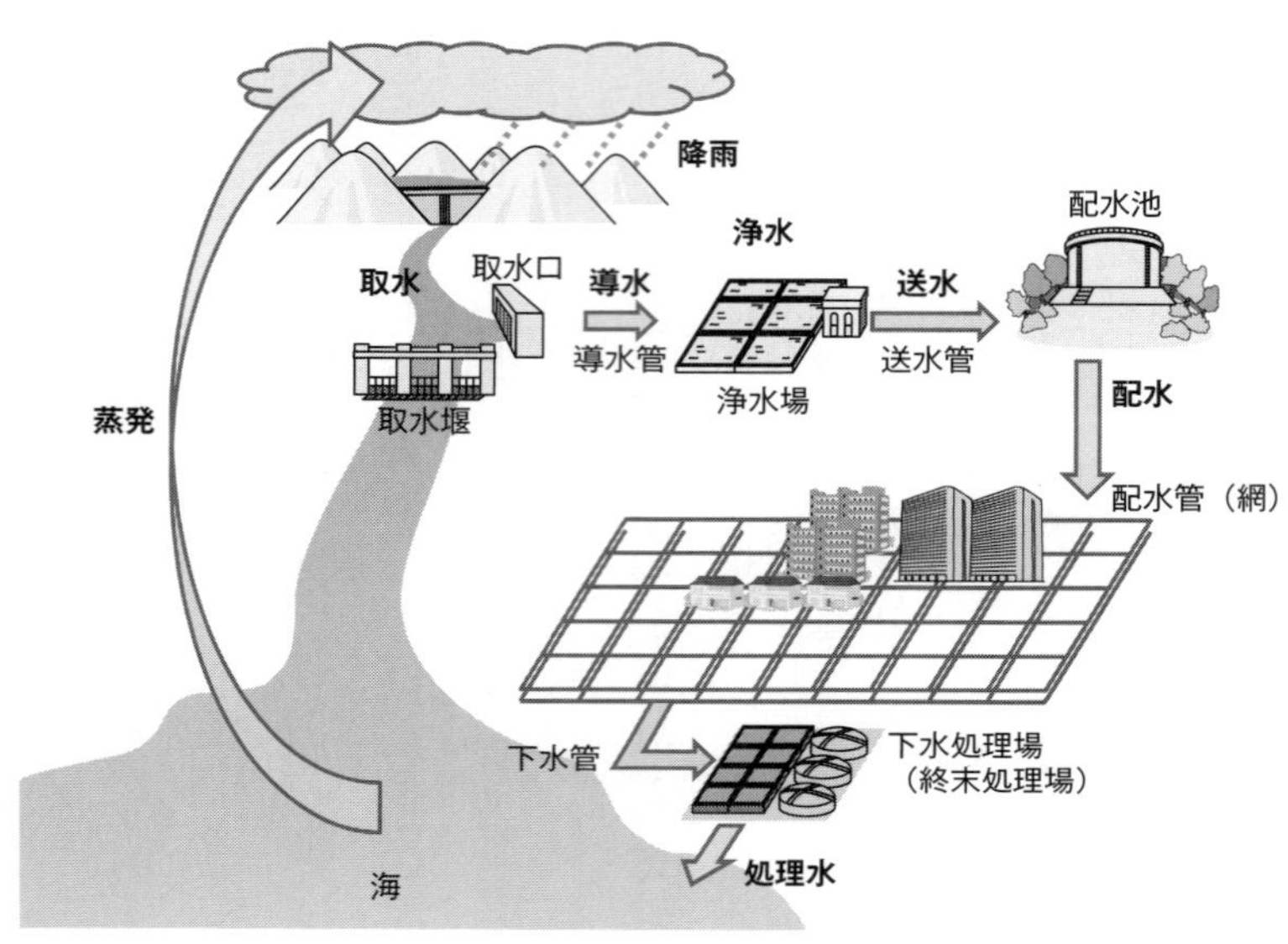

上下水道の構成　模式図

送水は「浄水場から配水池まで」を指すというのが教科書的な説明です。しかし、場所によっては送水管から直接、配水管（網）の分岐の形態もあるかも知れません。

教科書的な説明を続けると、配水池から給水区域に分岐していくのが「配水本管」、その配水本管から分岐して各家庭の目の前、接続道路に配管してあるのが「配水支管」です。配水本管、配水支管については、管網というネットワーク、つまりは行き止まりのない管網構造とするのが基本ですが、これらも場所によっては……例外もあるかと思います。

さて、実態はともかくとして、なぜこのような構造が教科書的に推奨されるかを考えてみましょう。そこには水道としてそれなりのあるべき姿があり、その姿を確保するためには、やらざるを得ないことだからです。

まず配水池です。一般家庭の水利用（需要点とします）ですが、残念なことに1日中一定量を使ってもらえるわけではありません。もし〝源泉かけ流し〟ならぬ〝水道かけ流し〟の一定量使いなら配水池は不要です。

需要点での水利用に時間変動がある以上、どこかでその時間変動を吸収する〝ダメ〟が必要になります。取水や浄水場でこれを完全に吸収するには無理があるので、需要点に近いところに変動吸収のための容量が必要となります。それが配水池です（水道計画のところでもお話ししましたので、思い出してください）。

配水管網は、どこかの管の断絶、漏水などが起こった時のバックアップを構造的に行っています。樹枝状管路、つまり上流から下流にただただ分岐していく管路形態では、どこか一部が破損するとその先の下流部すべてで断水が起こります。管網にしておけば逆方向からの配水が可能になるので、いきなり断水にならないというメリットがあります。

さらに、配水管網を配水本管と配水支管に階層分けする、送水管と配水管網をきちんと分離する――そういった手法をブロック化とかブロック配水システムと言います。水量・水圧管理の容易化、結果としてのエネルギー効率向上などがその利点になります。

■送配水と水質管理

送配水を水質管理の観点から見てみましょう。浄水処理自体は当然、浄水場でおしまい。その後の水質汚染には無力です。そこで、一つは『きちんとした水圧をかけ、外部からの汚染・汚濁の進入を阻止すること』を行っています。水圧の低下は、水が出にくくなるという利用者への障害だけでなく、水質管理の点からも重要な話なのです。

全域監視が理想ですが、それは無理というもの。管網の配置と標高（水圧をかけている、例えば配水地からの距離とその高さ）を見ていけば、水圧が低くなる要注意ポイントがいくつかあるはずです。管路設計の際には、そこできちんと水圧が確保できるように全体設計がなされています。

もう一つは、『残留塩素による消毒効果の持続』です。殺菌・消毒の範囲内だけですが、残留塩素は浄水場より後、送配水時の汚染に対抗する唯一の手段です。これが水道が塩素処理に頼らざるを得ない理由でもあります。

また、この残留塩素は時間とともに低下していくため、ある一定の時間内に利用者に使ってもらう必要があります。「水道水にも賞味期限あり！」と覚えてもらうと、送配水のことも少しは見えてくるはずです。

そんなことから、主には臭気（いわゆるカルキ臭）問題の点で、なるべく注入量を減らしたいものなのですが、減らせるかどうかは送配水の構造、特に配水管網化しているか、行き止まり管がないかどうかに大きく依存します。行き止まり管となると、そこに溜まっている水を行き止まり区間の人が使ってくれない限り、新たに水が供給されることはありません。そういう区間に限って接続件数が少ないのが常。一番の要注意ポイントです。

末端部の公園や公共施設で行う水捨て・排水が水質管理と一体なのも、これでお分かりになるでしょう。そういう意味では、公園のトイレや水飲み場も水質管理に一役買っています。

ここまで理解できると、残留塩素のチェックポイントがどこになるのかも分かってきます。ポイントの数を減らしたければ、ルートごとの滞留時間・到達時間を計算して、一番時間のかかるポイントで水質チェック、毎日検査を行えばいいということです。

このように、末端である蛇口での水質管理は、浄水場や塩素注入量の管理、いわゆる運転管理・ソフト対策では限界があります。管路の構造に手を入れない限り、抜本的な対策はない、というのも知っておきたいことです。一見無関係に見えるかもしれませんが、管路構造と水質管理には大きな関係があるのです。

給水装置と利用者

「給水装置」、聞き慣れない言葉だと思います。少なくとも数ある水道用語の中でも、最も一般から遠い言葉のような気がします。

給水装置は、家庭の目の前の道路までできている水道・配水管から「家庭に引き込む管」、そこから最終的な給水栓・蛇口、トイレ（タンク）、湯沸かし機など、連続的に固定接続されたもの（の総体）を言います。

一旦、水が途切れたその先は給水装置とは言いませんが、つながっている水に触れる管、機器、構造物すべてを指すことになります。

蛇足ですが、水が途切れることを「圧力開放」と言います。水圧をかけて管路で輸送するところから、一旦、タンクなどに入り密閉状態から開放されるからです。水圧をかけるのが、常態化している水道では、その水圧下から離れた状態という意味で、「圧力開放」という言葉を使います。

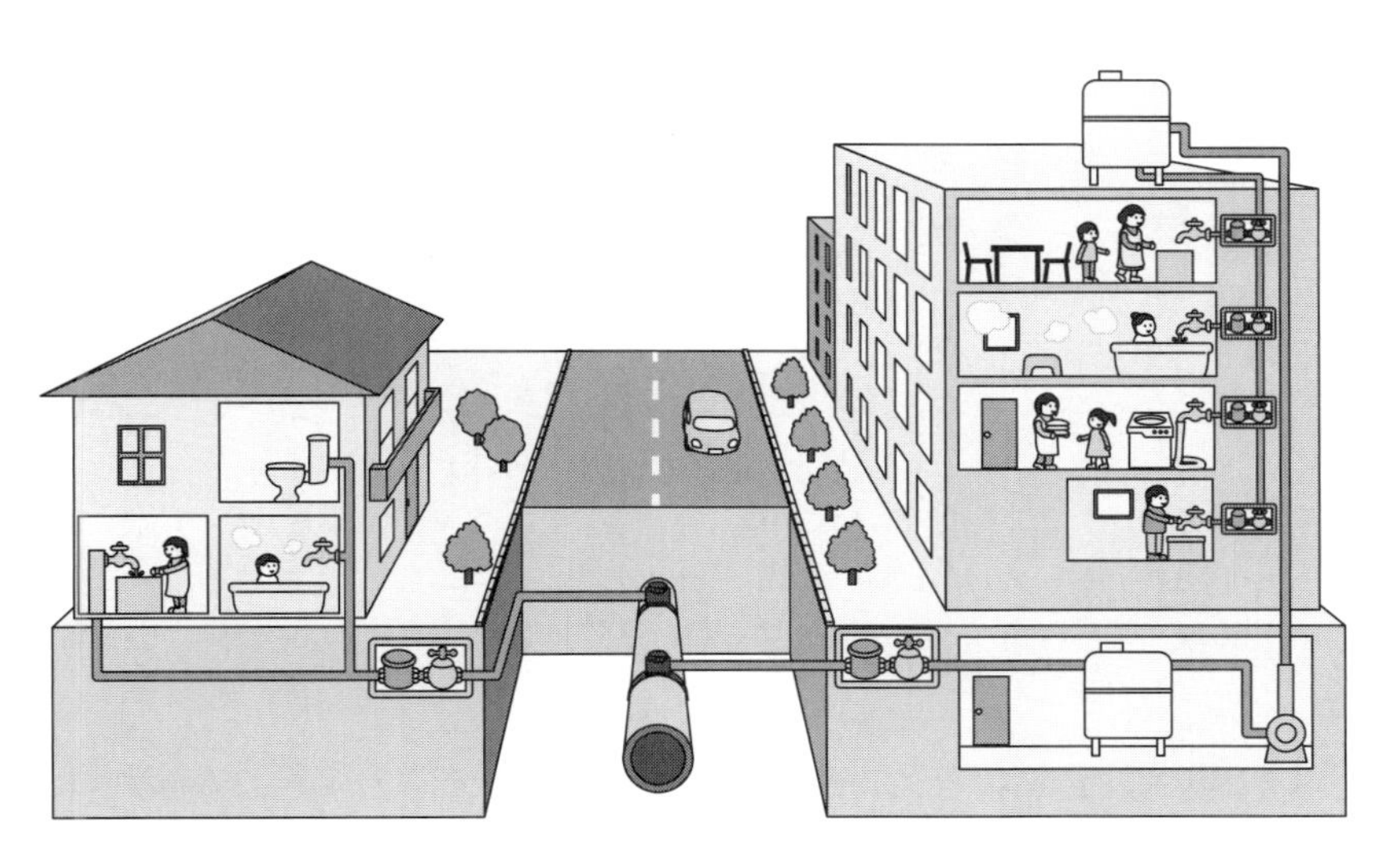

給水装置（左）と貯水槽水道（右）の模式図

水道の水質基準は〝蛇口から出る水〟、末端の水にまで適用されます。これを水道事業者が守るために、利用者財産である給水装置にさまざまな規制や制限をかけることが許されているのです。

給水装置などと言いますが、そのもの自体は台所や洗面台の蛇口であったり、家の中の配管であったり、お家の一部、そのものです。まさに個人の財産。ですが、変なものを付けられて水質基準不適合では、水道事業者もお客さんも困ります。そのための規制・制限となっています。

具体的には材質や構造についての基準があり、これを守ったものを付けてもらうことになっています。基本的には製造者責任ですが、日本水道協会で認証などもやっていて、蛇口に青いＪＷＷＡシールが貼ってあったりするのがす。

その適合証明ということです。

この給水装置と混同されやすいのが「貯水槽水道」。マンション、アパート内の水道です。3階建ては微妙ですが、4階建て以上だと一旦、配水管から給水管で取り出し、タンクに受け、そこからポンプで建物の屋上、高架水槽へ。ここから階下に向かって給水されています。

〝一旦タンクに受け〟というところがポイント。そこまでは水道事業者で責任を持ちますが、水が切れてしまえば、つまり圧力開放すれば「申し訳ないですが、後は利用者でよろしく」というのが責任関係の整理です。そういうものを貯水槽水道（特に大きいものは簡易専用水道）と言いますが、これらは利用者、設置者側で管理してもらうことになっています。

さて、「こんなことが利用者に分かるか？」というと甚だ疑問。また、異臭味など水質問題になりやすいのも事実。誰も掃除しなければ、そりゃそうなりますよね。基本は利用者管理ですが、「水道局側で検針、料金収受などの際に分かることがあれば、きちんと情報提供しましょう」というところまでが水道法に書いてあります。

分譲マンションなどでは、自分自身の問題なので関心を持ってもらいたいところ。一番の問題は賃貸マンションなどだと思います。住民は家主まかせ、家主は住んでいれば自己責任でまだいいですが、住んでいなければ当事者意識はありません。この両者の間に落ちてしまうところがこの問題の難しいところです。そもそも、そういう問題だという意識もなく、すべて勝手に水道事業者の責任と思ってしまっていると余計大変です。
貯水槽水道については水道事業者として、直接の当事者ではないものの、そこに住んでいる人に注意喚起・情報提供してあげることには、それなりの意味があるように思います。「臭い」、「まずい」で評判を落とすのは水道局側です。義務ではありませんが、このような部分にも注力していただけると水道の評判は上がるはずです。

よもやま話8

日本最初の用水供給事業：阪神水道企業団

都道府県域を超えた導水による水道水源確保の最初は、日本で初めて水道用水供給事業を行った現・阪神水道企業団ではないかと思われます。水源のない神戸市では戦前から淀川依存となっていますが、構想時は、兵庫県内の水源、主に武庫川の開発を念頭に置いていたようです。

一方で、大阪府・大阪市と協議を並行的に進めた結果、予想に反して淀川からの導水が合意に達し、神戸市主導で日本初の用水供給事業が誕生しています。現在でも阪神水道企業団は淀川水源のみの用水供給事業となっています。当初構想の県内水源開発については、兵庫県営水道が担っています。

第11講 水源・水資源

水道の水源というのは、大きく分けて河川自流水、ダム開発による河川水、地下水の三つに分けられます。

前者の二つは区別がつきにくいもの。同じ河川に流れてますからね。むしろダム開発が普通になっている現在で考えれば、「そもそも自流って何？」という方も多いかもしれません。

歴史のある水道事業では、古くからその地域の住民が河川の水を利用しており、特にダム等の水資源開発によらない、河川そのものに流れている水量の一部を水利権として持っている場合があります。これが河川自流水としての水源です。

高度経済成長期以降に人口増加が起こったような場所は、ダム開発などにより新たな水資源を開発しなければなりません。これがダム水と呼ばれるダム開発による水源です。具体の取水形態により、ダム湖からの直接取水もありますが、ほとんどの場合、ダムから放流された水の下流取水、河川下流部から取水する形態が一般的です。

この他に、井戸の形式をとり地下水を水源とする場合があります。分かりにくいのが伏流水と地下水の関係かと思います。地下水は民法において土地の付属物として扱われており、土地の権利と一体となっています。実際の地下水の流れや状況はともかくとして、権利関係としてはそのような整理がなされています。

河川水の取水については河川管理の一部として取り扱われており、河川管理者がその権限の範囲として運用しています。逆に、地下水は土地の権利として整理されており、河川管理とは無関係な存在です。

伏流水というものは、その性状から地下水の一つではありますが、河川の表流水と一体的に流れているものを言います。行政的な整理としては、河川区域内で井戸を設置して取水する地下水を伏流水として扱い、通常は表流水と同様、水利権が必要とされます。

一般的に地下水は水質性状が安定しており、水温変化なども少ないことから、水道事業として取り扱うのには非常に便利な存在です。自然のろ過を経ることで、いわゆる〝おいしい水〟であることも多いのです。

その一方で、過剰取水による水位低下、その結果としての水質変化、そういう意味で当初の予定水量が取れないような状況にもなりかねず、それはすべて水道事業者のリスクの範囲内ということになります。

また、長期の取水による周辺部の目詰まり等々で取水可能量が徐々に減少するのもよく見

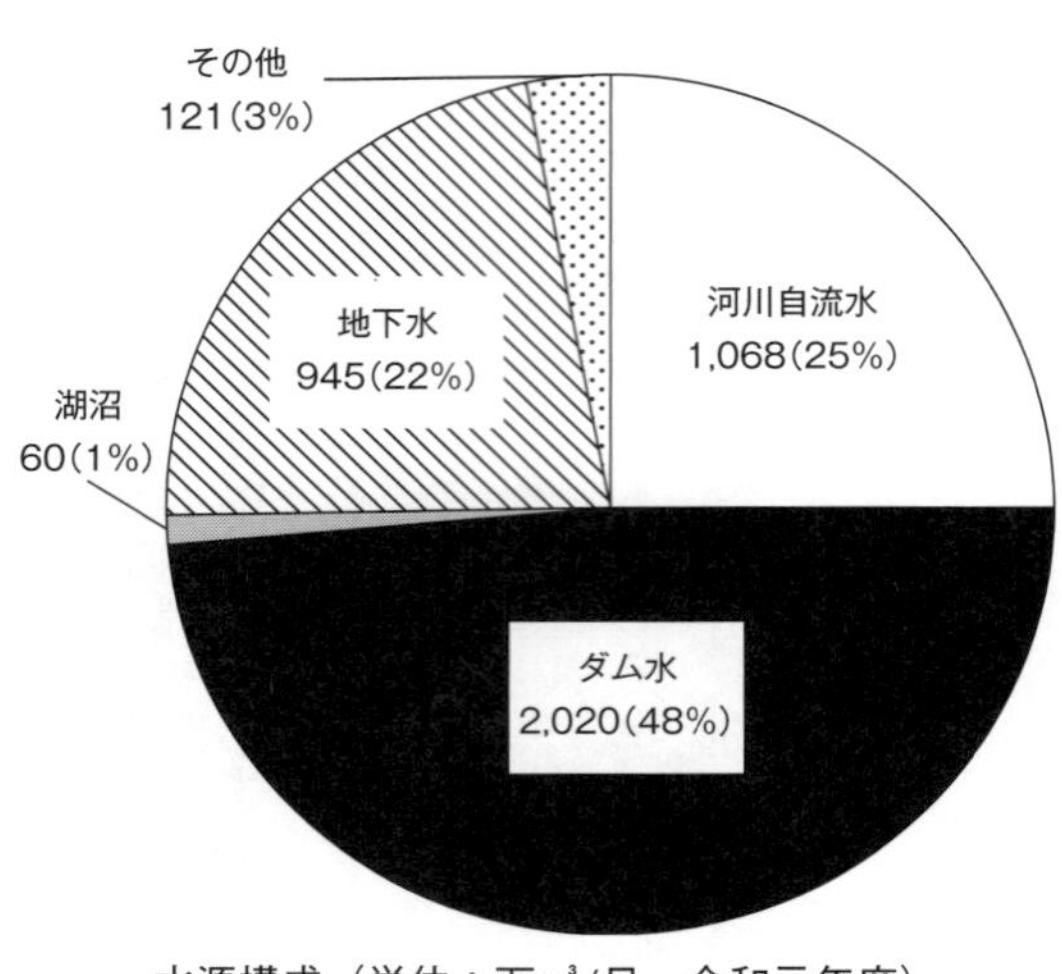

水源構成（単位：万㎥/日、令和元年度）

られる現象で、機械類のみならず井戸のリハビリ、再掘削などが必要になる場合もあります。

河川水の取水については、河川管理の一環としてなされ、渇水調整なども河川管理者の責任となっていますが、何と言っても天候次第の話で、限界があるのもまた事実です。河川水の運用は河川ごとの歴史と経緯により関係者間で、できてきたものなので、街の歴史とともに勉強してもらうしかないように思います。

すでに、浄水や送配水でも触れましたが、もう一度水源ということで整理しておきたいと思います。

水道事業の立場から水源を見ると、もちろん良好な水質の水源であることに越したことはありません。ありがたいことに、雨というのは〝最強の浄水処理・蒸発処理を経た水〟です。これを「汚濁されない河川上流部で取りたい」というのは、ある意味で当然の要望かと思います。

一方、少々上流に遡ろうとも都市域から離れることができないような大都市圏においては、上流取水への要望の理由は水質だけではないことに気付かされます。これだけ高度処理と言われるような活性炭処理やオゾン処理などが一般化してくると、なおさらです。

それは何かというと、再三出てくる〝高さ〟、圧力を得るための標高です。高い位置で水源を持てば、そこから先の水道事業において、無駄なエネルギーや電力を使って増圧する必要がなくなり、自然流下の活用が見込めます。

改めて見てみると、水道システムは〝太陽という自然エネルギーを取り込んでいる〟システムであることが分かります。つまり蒸発・降雨という現象を介して、太陽が水処理とポンプアップ役を買って出てくれているのです。

残念ながら上流には水量がありません。都市の上流部、つまり標高の高いところに水源を確保できれば、こんな好条件はないのですが、現実はそうはいきません。都市のつくられ方や需要側の都合に合わせて、ポンプとエネルギーを使わざるを得ません。水量確保と位置エネルギー・水質は矛盾する要望です。ここに水資源開発と水利権の難しさの一面があります。

第12講 職員体制と官民連携

「官民連携」が取り上げられるようになって10年といったところでしょうか。本来、このような初級編で扱うべきものとも思いませんが、何かと話題に上り、事業を行う中で付き合わざるを得ないキーワードにもなっているように思うので取り上げてみます。遡れば、水道民営化論、民間資金調達による施設整備（ＰＦＩ、ＢＯＴ）などを経てＰＰＰ（官民連携）に至るキーワードの変遷がありますが、これを追うだけでそれなりの文量になってしまうので、ここでは職員体制や水道事業のコスト構造から官民連携を見てみたいと思います。

◆

官民連携は考えざるを得ないものになっていますが、官民連携は官民連携を見ていても分からない、この点に絞って述べたいと思います。

水道事業関連の官民連携と言っても、多くの民間企業は水道事業の中にある企業群であり、水道事業を支える水道料金を原資として営む企業群です。そういう意味で現在の官民連携は、所詮、水道料金の中の業務分担に過ぎません。

水道というケーキの切り方の問題と言えば分かりやすいでしょうか。当然、ホールケーキ全体を見ずに各民間企業が切り取った小さなカットケーキを見たところで何が分かるわけでもありません。水道事業全体でなすべきことと官側の事業体制・職員体制、その反射的な結果としての民間部分、それ以上でもそれ以下でもないのが現状だと思います。

もともと建設主体としての官民連携は、はるか昔から強固なものとして出来上がっています。水道界とか水道一家とか、半分死語かもしれませんが、これがそれに当たります。

現在求められているのは、年々減少する水道事業者側・官側の職員体制と、運営・運転を一体化した中で、また人口減少社会として事業環境が刻々と変わる中で、更新時期を迎え新たな事業再構築をしなければならないという水道事業のあり方全体に、官民連携でどう向かい合うか、だと思います。

この20年の間に、全国に7万人いた直営職員は5万人を切るところまで減りました。この官側の事業体制をどうするのか、新たな役割分担の下でどのように水道事業を支えるか。できればその先に、水道事業の中だけでなく、街と人の生活をどのように支えていくか、他業務との協業の中での新たな水道事業の実施体制まで考えるべきかと思います。

これまでの経験と蓄積により、水道事業の中だけを見て、事業運営可能なところまで事業のガイドライン化、指針化に成功してきました。しかし残念ながら、それはあくまで人口増加と都市化対応という事業環境下でのものです。

長期人口減少社会を迎え、もう一度、街と人の生活、その現状を一から見て、知って、考え直す時期だと思います。官民連携と言いつつ、その実は官で手当てできない業務の単なる外部委託・アウトソーシング、そこに期待するのはコストカットのみという状況を考え直す時期に来ているということです。

本当に民間委託で、運営レベルを変えずにコストカットができるでしょうか?官でも民でも運営方法に大差なし。加えて、水道民間企業と言ったところで、事業認可を得た水道事業者としての経験を持つ企業はありません。労働人口、現役世代の減少に官も民もありません。一方で、水道事業者側の都合に民が合わせるのにも限界が来ています。

官は官で民間企業を活用できる環境を作って、民は民で官を越える何かを持って、官民連携という場に集ってほしいと思います。

よもやま話 9

日本最大の水道事業：東京都（1362万人、680万m³/日）

当然ではありますが日本最大の水道事業は東京都です。大都市の一つの目安100万人のさらに一桁上、給水人口1362万人、給水収益約2731億円、総収益約3219億円。日本の給水人口の1割と言うと、東京都水道局が日本の中では別格なのが分かります。東京都水道局が給水区域としていないのは、伊豆諸島や小笠原など島嶼部を除けば、武蔵野市、羽村市、昭島市、檜原村の4市村だけです。

水道の歴史

こちらの気持ちとしては本講で扱いたいテーマではありますが、初級者にいきなり水道の歴史と言われても、現状を把握するので手一杯……というのも分かります。ということで補講で入れておきました。ただ、こういうことを知っておくと、少しばかり水道の専門家っぽくもなりますし、「今なんでこんなことになっているんだろう」という疑問解決の糸口になることも少なくないかと思います。

◆

日本に〝水道〟とか〝上水〟という言葉が生まれたのは、戦国時代以降のことです。城下町において、井戸や町内河川だけでは足りず、導管によって近隣河川から引き入れたのが初期の水道の形態でした。

江戸時代には多くの城下町で水道が使われ、江戸では一説によると水道普及率は50％だったと言われています。

この時代になると、町内の道路下に埋められた暗渠によって配水されていました。材質は、要所に石も用いられたようですが、ヒノキなどの木管が中心です。残念なことに圧力をかける術がありませんから、暗渠と言いつつ水面を持つ開水路状態で水が流れていました。末端は釣瓶で汲み上げる水道の井戸（上水井戸）。町中の井戸は井戸にあらず、地下水ではなく水道管からの汲み上げ装置でした。

上水井戸（東京都水道歴史館提供）

　このような江戸時代の水道から、いわゆる近代水道へ転換するのが明治以降の水道です。近代水道の定義は〝飲料可の水を圧力給水する〟ことと言えます。

　その契機は外来水系伝染病です。４０００万～５０００万人の人口しかいない当時の日本で、この伝染病により多い年では年間10万人以上が死亡したというのですから、事の重大さは分かろうかというもの。港町、大都市を中心に、ろ過処理を組み込んだ英国流の水道が日本に普及していきます。

　第二次世界大戦前までで約3分の1まで普及した水道が、戦後、戦災復旧から始めて第2

の創生期を迎えます。人口増加と都市化の中、ほぼ完全普及に至ったのが現在です。

戦後の高度成長期、水資源不足に対応するため、国を挙げての水資源開発、その受け皿としての用水供給事業が各地に生まれました。市町村単独事業から、国、都道府県、市町村といった三層構造に変化したのがこの時です。象徴的だったのは、国の代行機関として創設された「水資源開発公団（現：水資源機構）」で、一部地域では、専門代行機関がないと回らない状況であったのを物語っています。

同時に、生活環境・衛生環境改善のため、国民皆水道を担って、中山間地域等で展開されたのが簡易水道事業とその補助制度です。

その後の水道で中心となったテーマは、事業者間の水道料金の格差問題であり、水源悪化問題であり、微量有害物質制御としてのトリハロメタン問題であり、新たな外来感染症であるクリプトスポリジウム問題でした。

今日的な水道の中心テーマは何かと言われれば、（新水道ビジョンに掲げられた三つのキーワードでもありますが）水道の基本中の基本である『安全性確保』、危機管理体制を含めた『強靭性確保』、そして何より、長期人口減少社会を踏まえた事業の『持続性確保』だと思います。

水道事業経営が苦しい、水道利用量・料金収入が伸びない、減少してきていると言われて久しいですが、今後の人口推計を見ればまだまだ人口があり、料金収入がある時期です。これまでの傾向から外れてきていることは確かですが、それを言うのはいまだ右肩上がりの常識から離れられない証拠だと思います。

長期人口減少という新たな事業環境、それに適応していくのがこれからの水道事業のはずです。そういう意味では長年、水道事業の課題の最前線は大都市にありましたが、地方水道が最前線となったと思います。

少子高齢化が極まり人口減少、さらに出生率の低下が結婚・出産期の人口減少に至った今、この問題は地域だけでなく日本全体の構造問題となっています。大都市圏にもいずれくる未来を、日本水道界全体でどう取り組むか。末端供給完結型の第一期、三層分業の第二期、そして人口減少に対応する第三期の到来が今と言えると思います。

第3部

水道法の楽学

■法律って難しい？

法律ってなんとなく難しい、読みづらい……そう思われる方も多いかと思います。その理由の一つは「つまみ読み」のような気がします。法律なんてものは普通、必要があって読むもの、必要な条項（と思われるところ）だけを読んでみると、よく分からない上に、肝心のことが法律本体には書かれていない。前項、政令、省令？……あー面倒くさい。どこを読んだらいいのか分からない。結果、難しくて分からないことに自ら納得、といった感じではないでしょうか。

あるいは誰かが「分からない、難しい」というのを聞いて、自分は読んでみたことないけど食わず嫌い、とか。場合によっては、難しくて分かりにくいところをどこか見つけて、分からないことに自ら納得、なんてこともありそう……。

法律といえども、所詮、日本語。法律案を作る方は、広く一般国民が理解しやすいものになるように、一生懸命努力しています。ただ法律は、規範・ルールですので、言葉の定義や適用範囲など、厳密性だけは確保しなければなりません。そのあたりのポイントを知ってしまえば、各段に読みやすくなります。そういうコツを追っていこうと思います。

法律全体がどういうものなのかを、理解するための読み方と、個々の条文・規定の適用を解釈する読み方は別モノです。

第３部では、法律の個々の条文の意味やその適用方法（「法律運用」なんて言ったりします）を深掘りするのではなく、水道法という法律の読み方、全体のとらえ方を楽しく進めてみようと思います。

併せて、業界用語として使われている用語と法律用語が結構違うところを復習しましょう。ここまでで、なるべく、実感、普通の常識に近い言葉を選び、どうしても誤解を生みそうなところは、注釈をつけながらいろんな言葉を使ってきました。法律用語か否かは普段問題にならなくとも、公式の文書を作成する時など、特に地方公務員として水道事業に携わる方は困ることもあろうかと思います。そのあたりを法律の話をするここで整理していきたいと思います。

例えば、水道事業者と言うか水道事業体と言うか、前者が法律用語で後者が業界用語です。

よもやま話10

日本最大の用水供給事業：埼玉県175万m³／日

日本最大の用水供給事業は、利根川上流開発、武蔵水路建設とともに生まれた埼玉県営水道です。埼玉県としては、工業用水道に遅れること4年後の昭和43年に供給を開始しています。

中央第一水道用水供給事業、東部第一水道用水供給事業、西部第一水道用水供給事業と埼玉県南部の3事業を統合、広域第一事業とした後、埼玉県中北部を対象とした広域第二事業を開始、この二つを統合して、現在の埼玉県営水道があります。

創設の浄水場は大久保浄水場で、事業創設や拡大に伴い、庄和浄水場、新三郷浄水場、行田浄水場、吉見浄水場を運用しています。

序講

法律の読み方

■まずは全体を見てみよう

本来、法律は『一般国民に分かりやすく』が基本。しかし、正確性を重視するところがあり、多少回りくどい言い回しもありますが、その書き方・読み方、法律なりの文法を知ってしまえば、そんなにハードルが高いものではありません。「水道法がどういう法律か」という全体像さえ分かってしまえば、各条項の位置付けがはっきりしてきて、かえって個別規定の意味が分かりやすくなることもあります。一度、ボーッと水道法全体を受け止めるつもりで始めましょう。

■法律を読むための基礎知識

さて、ここで何気なく使っている「法律」「条項」「適用・運用」「規定」なんて言葉があります。法律に限らずある分野を理解しようとすると、どうしてもその分野の専門用語が第一の壁になります。細かい定義はさておき、まずはこの障害を取り除きましょう。

「法律」は……さすがにこれはなんとなく理解してもらえばいいでしょう。地方公共団体の「条例」と異なり国の規範・ルールとして国会で決められる、日本国内において適用されるものです。

「条項」は法律の構成要素です。法律を見ると第何条云々と書いてありますが、そのひとかたまりが「条」です。で、条の中の「第何条」と書いてある後にあるものと、数字で「二……」「三……」などと書かれているものが「項」。「第三条……」であれば、「二」の手前までのところが「第三条第一項」ということになります。具体の条文を見た方が分かりやすいので、ここでは『法律の構成要素・単位』くらいで読み進んでいきましょう。

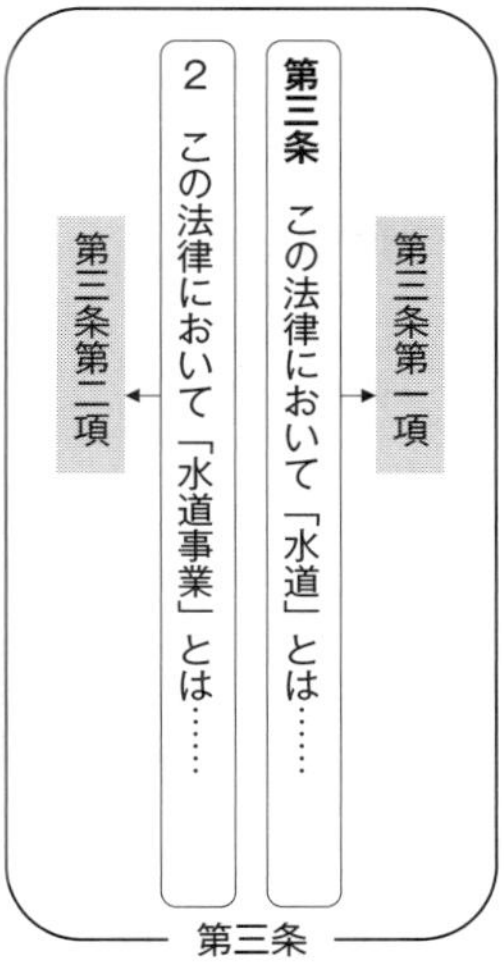

第三条　この法律において「水道」とは……
2　この法律において「水道事業」とは……

第三条第一項
第三条第二項
第三条

法律の構成要素の読み方

「適用・運用」は、世の中で具体に起こることに合わせて法律をどういう風に使うか、その解釈と使い方をいいます。これもなんとなく分かったつもりになって進みましょう。

「規定」は、当面は『個々の条項の内容、そこで記述されているルールを指すもの』くらいでよろしいかと思います。

■法律は普通に前から読むもの

では、法律をどこから読むか？法律は各条項の集まり、つまりは個別規定の集合体のように思われるかもしれませんが、実は『前から順番に読むこと』を前提に作られています。よほど特殊な例外を除けば、前を読まされることはあっても、先に後ろを読まないとその場所（条項）の意味が分からない、なんてことはありません。ここから先は同じ意味ですよ、ということを表す「以下、同じ」みたいな表現はあっても、ここまで読んだのは、実はこういう意味でした、みたいな後出しになるような「以上、同じ」はないわけです。

逆に言うと、ある条文で使われる用語や内容について、そこより前に詳しい定義や説明、限定などが書かれていて、そこを理解しないとその条文の理解を間違うことがあります。『法律は前から読むもの』は大原則なのです。

〈法律を読むコツ1〉まずは目次（章構成）と目的

法律を読む時というのは、何かが起こり、それに関連することが法律に書いてあるかどうか、書いてあったらどういう内容になっているか――何らかの必要に迫られて〝読まざるを得ない〟状況になっていることが多いかと思います。

この状況が曲者（くせもの）です。欲しい情報を得るために読む時点で、「よう分からん」となることがある程度必然になっています。それは、既に頭の中が理解の話ではなくなっていて、自分の疑問に答えてくれるかどうか、ということになってしまっているからです。残念なことに普通、法律というのは、個別事象の疑問に答えるほど丁寧なものではないのです。結論は、法律って難しい！か、不親切！です。

前回お話しした通り、法律も前から読むものですから、つまみ食いで該当条文を探して読む姿勢からして〝よく分からないモード〟に入っています。そういう状況で読む方にはまったく役に立たない話ですが、〝読まざるを得ない状況〟を忘れて、法律の読み方指南に一旦付き合ってみてください。

前から読むものとしてできているのですから、個別条文だけを読んでも理解できないのはある程度当たり前です。まずは法律全体を受け止める〝根気〟を持ちましょう。水道法ぐらいの文章量（？）であれば、できないことではありません。こういうときは、政省令（施行令や施行規則）は忘れましょう。法律本体だけで十分です。

それでもいきなり「頭から全部読め」はきついもの。まずは全体の構成を見てみましょう。具体的には、章の構成と各章の見出しを見るところから始めましょう。

水道法は九章構成。改正前の水道法では、「第一章の二」という変なものもありましたが、これは後から法改正で加えられた章という意味で「の二」なんて書き方になっているもののの（「枝番」と呼ばれます）、普通の「第○章」とまったくの同格の「章」です。ちなみに条項でも同じような表現がありますが、構成上の格（ランク）という意味では同じです。さらには第○条もその後に出てくる第○項も同格です。最初の第○条以下にあるものは、別名「第○条第一項」と言うのにも現れています（第○条と裸でいう場合、第一項を指すのではなく全体、第一条第一項から最終項までを指すことが普通です）。章、条、項の意味が分かった上で、章の構成を見れば、これだけで何を規定している法律か、中身はともかくその〝テーマ〟だけは分かるはずです。

次に第一章の総則を見てみましょう。中でも第一条にある「目的」はまず読むべきものです。この法律が持っている基本的な問題意識とそれに対する対処方針、期待される効果が〝最も短く〟書かれています。いわば〝まとめ〟であり〝結論〟、究極の要約です。

水道法では、「この法律は、水道の布設及び管理を適正かつ合理的ならしめるとともに、水道の基盤を強化することによって、清浄にして豊富低廉な水の供給を図り、もつて公衆衛生の向上と生活環境の改善とに寄与することを目的とする。」とあります。十分に短いと思いますが、もう少し簡単に書き換えると『水道法は、水道の適正管理や水道基盤を強化することにより、質・量があり安価な水供給を確保して、公衆衛生と生活環境の向上を図ります。』といったところでしょうか。

次に第三条の「定義」を読むと、この法律の中で使われる用語集になっています。ここを理解して、やっと法律を読む前提条件が整ったことになります。

まずは『全体構成を知る、法目的を知る、用語の定義を知る』。これが法律を読むコツの一つ目です。

〈法律を読むコツ2〉条見出しを見る

法律を読むコツの二つ目は、前回に続き「全体構成を知る」なんですが、すでに章単位を見たので、次は〝条単位〟に進みましょう。

とは言え、「簡単に条単位と言われても……」だと思います。そこでオススメは、条の前にカッコ書きで書いてある「見出し」だけを取り出して並べてみましょう。これだけで、各章の中に具体的にどんな内容が書いてあるか、かなりの想像がつくところまで到達できるはずです。

第一章総則を見てみましょう。

第一条　この法律の目的
第二条、第二条の二　責務
第三条　用語の定義
第四条　水質基準
第五条　施設基準

ここまで見るだけで、法律の目的と用語集、さらに各者の責務、さらには（ちょっとばかり条文の中を見ると）水道の持つべき要件としての水質基準・施設基準が明らかになっていることが分かります。

これを水道法全部について整理してみると、水道法の〝目次〟の完成です。残念ながら正式な水道法には章単位の目次しかありませんので、この詳細目次を作ると「自分にやさしい水道法」になろうかと思います。

いくらか面倒かとは思いますが、こういう作業を自分ですることによって、法律理解に向けて格段の進歩をしていることは間違いありません。少しばかり努力をしてみましょう。

さて、ここから先は各条文そのものを見ていくことになります。が、内容に入る前に、条文の読み方のコツを列挙しておきます。

〔法律を読むコツ3〕当たり前ですが「主語」に注目

まずは意外と見落としがちなところから。当たり前のことですが「主語は何か」に注目しましょう。例えば第二条の責務をみると、主語は「国及び地方公共団体は」「国民は」「地方公共団体は」「国は」と並んでいます。どういう主体に対する規定なのかは、この主語を見ることで理解できます。逆に言うと、自分に関係ある規定を探したければ、自分を指す主語のある条文だけを拾っていけば、水道法上の権利・義務は理解できるということになります。

〈法律を読むコツ4〉カッコ書きは無視

次のコツは『本文内のカッコ書きを消して、まずは普通の文として読む』です。カッコ書きの中に書いてあることは、注釈でなければ制限とか限定とか、条件付けをしていることがほとんどです。概要だけを理解しようというレベルであれば、大部分が不要なものと言っても過言ではありません。一旦（　）とその中身を全部消して、読んでみましょう。それだけでも相当理解が進むはずです。

よもやま話11

日本最大の緩速ろ過浄水場：境浄水場（東京都）31・5万㎥／日

緩速ろ過ぐらいは、東京以外が最大では？と思いましたが、然にあらず。逆に急速ろ過の最大が前項の村野浄水場で東京ではありません。玉川上水沿いにある境浄水場が日本最大の緩速ろ過浄水場です。甲群、乙群と白砂と黒砂の種類を変えた緩速ろ過池が10池ずつ、計20池で、9万2600㎡の面積、31・5万㎥／日の処理能力とされています。

第13講 水道法

ここまで、法律の読み方指南だったわけですが、水道法を例にとって説明することで、すでに水道法の序盤は終わっています。一方で、法律だ、水道法だと語っておきながら、肝心の「水道」そのものについてはなんの話もしていません……が、多少は始まっていたりします。でも、ここまで読む限り、話してない？おっしゃる通りです。では、どこに出てきているかというと、「用語集」に当たる第三条「定義」を読みましょうという中に入っていたのです。水道法は「水道の法律」という意味ですから、各論の第一歩として「水道」を取り上げましょう。

(1) 水道とは

水道法では、「水道」を以下のように定義しています。

「この法律において『水道』とは、導管及びその他の工作物により、水を人の飲用に適する水として供給する施設の総体をいう。ただし、臨時に施設されたものを除く。」

まずは普通に読んでみましょう。「管を主体とした施設の総体を水道と言います」「飲用に適する水を供給します」、と書いてあります。

「飲用水を供給する」と書かないところがちょっとした工夫。飲用水と言ってしまうと、「水道水を飲まない」方々に向けた施設は水道でなくなってしまいます。「飲む水」ではなく「飲める水」と表現することで、きちんと水道を表現しています。

また、「施設の総体」を水道とすることで、その施設を誰が持っているか、管理しているかを問わず、水源から蛇口までの全体をもって「水道」であるということが分かります。

こうした〝普通に読むと注目しないところ〟、そこにちょっとした意味を持つ内容が書かれています。最後に書かれている「臨時施設は水道と言わない」というところや、最初の「この法律において」という表現にも着目しましょう。実は「この水道の定義はあくまで水道法の中の定義であって、他の法律には影響を及ぼしません。他の法律で水道と書いてあっても、この定義とは違うかも知れませんよ」という説明がなされていることになります。

このあたりの言外の意味が多少でも分かってくると法律が読みやすくなるのですが、逆に、こういうところが「法律は読みにくい」と思わせる理由の一つのようにも思います。もともと法律とは国民への権利・義務関係を表現する手段で、何かとその範囲、限界を明確にする必要があるという宿命の下にあります。なんだか言い訳がましく聞こえるかもしれませんが、こういう適用範囲を示す表現が出てくるのは避けがたいところ。この部分については慣れてもらうしかないように思います。

(2) 水道の要件と規制

すでにご紹介した「水道」の定義、この定義に当たるものであれば当然「水道」なのですが、これをもう少し具体化した要件を水道法が示しています。それが「水質基準」と「施設基準」です。

〃基準〃と聞くと「誰に課して誰が守るのか?」が先に立つのかも知れませんが、一旦それは忘れましょう。ポイントは〃水道の持つべき属性〃として水質基準と施設基準が規定されているというところです。いわば、そのような〃水道法の構成〃にまずは注目してみてください。

「飲用適な水」というのは具体的にどういうことなのか、「施設の総体」と言うが、その施設とはどういった要件を備えるべきものなのか。これを具体的に示しているのが水質基準と施設基準ということになります。このような法律構成にすることで、この後に水道法で出てくる水道に関する規制にかかわらず、「水道が必ず持たなければならない要件」という意味合いになっています（この点から水道法全体を見てみると、「水道はすべて水質基準と施設基準を満たさなければならない。しかしながら、それに対する規制の程度、有無も含めて規制の強度は水道の規模、影響範囲の大小による」と言っていることが明らかになってきます）。

もう一度、水道法の章構成に戻ってみましょう。

第一章　総則
第二章　水道の基盤の強化
第三章　水道事業
第四章　水道用水供給事業
第五章　専用水道
第六章　簡易専用水道

となっていて、第二章以下が、各水道の規模や影響度合いによって具体的な規制が規定されているところです。

水道事業と水道用水供給事業は認可を基本とした『事業規制』、専用水道は確認を基本とした『施設規制』、簡易専用水道は〝自主〟管理を基本とした『検査義務』。このように、それぞれの事業規模や供給先の特性に応じて、規制の強度を変えていることが分かります。水道事業から簡易専用水道までに当たらない小規模なもの、これについては利用者の直接監視に委ねるという意味での無規制と理解すればいいと思います。

規模が大きく不特定な利用者に応じるもの、言い換えれば利用者にとって遠い存在となるような水道については強い規制を求め、利用者にとって目の前でその状態、状況が把握できるものになればなるほど規制が弱まり、井戸のような個人で設置・管理するようなものやそれに近いものは無規制、自己責任で管理してほしいというのが水道法の基本的な考え方と言えます。

(3) 水道の区分と管理責任

水道事業に用いられる水道を例に、水道の区分と管理責任を簡単にまとめたいと思います(このような言い方にならざるを得ないのも、水道の定義を知ると分かってくると思います。水道の定義が、水道法で用いられる水道関連の用語で最も範囲の広いものだからです)。

まずは水道と水道施設の違いから入りましょう。「水道施設」は、第三条(用語の定義)にあるように、水道より範囲の狭い施設の定義になっていて、「水道事業者の管理に属するものをいう」とされています。

それでは、水道であって水道施設でないものは何か?「給水装置」と言われるものです。これも第三条の用語の定義にあり、いわゆる家屋内の配管と蛇口などです。

個人宅の屋内配管は、当然、水道事業者のものではありません。所有・管理とも、その家の所有者もしくは居住者ということになります。水道事業者側で管理しているのは取水施設から配水管までで、この配水管から分岐する「給水管」と、それに直結されている給水用具（蛇口や給湯器）が給水装置です。

「管理に属するものをいう」も一つのポイントで、水道施設は必ずしも水道事業者の所有を求めるものではない、ということです。水道事業者に直接的な管理を求められる水道施設、個人の管理下におかれる給水装置、これらの総体が「水道」ということになります。このような水道法の構成が分かると、「水質基準は誰がどこで守るべきものか」も分かってきます。

水質基準は水道が持つべき属性ですから、当然、末端である蛇口から出たところで守られるべきものです。しかし、その蛇口部分は個人資産で個人管理されています。給水装置の手前までは水道事業者の管理下ですから、その範囲の水質を守ることは当然ですが、そこから先はどうなっているのでしょうか？

そのために、給水装置には水質基準を根拠に規制（具体的には第四条第二項に基づく省令）がかけられていて、この二つが相まって「水道事業者は蛇口で水質基準を遵守する義務がある」という解釈になります。

水道法は、「水道を定義し、その持つべき要件を定め、その規模や影響度合いによってさまざまな強度の規制手法を選択している法律」とまとめられると思います。自己責任で無規制の小規模水道から始まり、最も規模が大きく不特定多数に水道水を供給する事業については認可に基づく事業規制を課す法律体系となっています。

「水道法は本来、水道事業法というべき」といったことを耳にしたことがありますが、私はそうは思いません。ここまで見てきたように、水道法はやはり「水道」の法律であって、「水道事業」のためだけの法律ではないからです。もちろん主たる行政効果、規制効果が水道事業にあることは確かですが、だからといって水道事業法という見方でみると、水道法の持つ元来の法律構成を誤解してしまうように思います。

最後に水道法の特徴を探ってまとめとしたいと思います（ここについては、水道事業に関する水道法の規定の部分です）。

水道法は、水道事業者が給水区域を設定し、その区域内であれば給水義務を負います。給水を受けるかどうかは、その区域の住民側の意思です。水道だけを見ていると当たり前のように見えますが、下水道法の場合、供用区域において下水道への接続義務が住民に課される構成になっていて、住民側に選択性がありません。

よく上下水道が一緒に語られますが、施設特性や目的だけでなく、水道法、下水道法という法律面からみても、意外と相違点が多いという印象を持ちます。水道法は事業認可に基づく規制、下水道法は事業計画の協議（かつては認可）に基づく規制です。水道では事業経営、下水道ではその施設整備・管理と、このあたりにそれぞれの法律の出発点の大きな違いがあるように見えます。

それが料金の表現に端的に出ています。水道事業が水道料金として水道水の利用に対して負担を求めるのに対し、下水道は下水道使用料、施設使用料として負担を求めるところです。

水道法の理解を助けるためということでここまで進めてきました。これで終わりとさせていただきます。「こんなに簡単でいいのか？」と思われるかもしれませんが、全体を通して読んでいただければ相当のレベルまで来ているはずですし、水道法を読む億劫さもかなり解消していると思います。

ここから先は法律全体の理解というより、個別の状況に合わせてどのように個々の規定を理解するか、適用するかということを説明するため、逐条解説などを参考に水道法を読んでいただければと思います。「なんでこんな規定になっているんだ？」という疑問には幾分答えたつもりですし、それが水道法の理解に大きく役立つはずです。

◆

これをもって、すいどうの楽学　初級編を終了させていただきます。思いのほか、高度な内容も実は入っていました。このぐらいの知識を身につけてしまえば（自分の直接の業務分野は別として）初心者どころか中級者に近付いています。もう、水道の専門書も読もうと思えば読めるところには来ていますので、そちらへ勇気を持って進んでみてください。

【た行】

【な行】

【は行】

【ま行】

【や行】

【ら行】

索　引

著者紹介

熊谷和哉（くまがい・かずや）

平成３年北海道大学衛生工学科修士課程修了後、厚生省入省。厚生労働省、環境省、(独)水資源機構などで、水道、浄化槽、水環境、水資源を担当。平成22年厚生労働省水道課水道計画指導室長、(独)水資源機構経営企画部次長、環境省水・大気環境局水環境課長、厚生労働省医薬・生活衛生局水道課長を経て、(独) 水資源機構理事（令和４年５月現在）。

本書は日本水道新聞で平成26年９月８日～平成27年11月26日付に掲載した「すいどうの楽学」並びに、平成28年５月26日～12月１日付に掲載した「すいどうの楽学　水道法・法律編」に加筆・再編集したものです。

本書内に掲載している図・表は出典を明らかにしていただければ、研修会やセミナー、資料作成等にご自由にお使いいただけます。ご希望の方は日本水道新聞社出版企画事業部「すいどうの楽学」担当（TEL：03-3264-6724、メール：rakugaku@suido-gesuido.co.jp）までご連絡ください。

改訂版　すいどうの楽学　初級編

定価1,320円（本体1,200円＋税）

令和２年１月31日　初版発行
令和４年６月30日　第２版発行

著者　熊谷和哉
発行所　日本水道新聞社
〒102-0074　東京都千代田区九段南４－８－９
TEL　03(3264)6721
FAX　03(3264)6725
印刷・製本　美巧社

落丁・乱丁本はお取替えいたします。

ISBN-978-4-930941-84-8　C1250　¥1200E